옛글 오늘 일 1

설파는 말한다.
"한문을 버리면
동아시아문명에 대해서
언급하는 것조차
불가능하다."

옛글 오늘 일 1
발   행 | 2024년 07월 02일
저   자 | 백태명
펴낸이 | 한건희
펴낸곳 | 주식회사 부크크
출판사등록 | 2014.07.15.(제2014-16호)
주   소 | 서울특별시 금천구 가산디지털1로 119 SK트윈타워 A동 305호
전   화 | 1670-8316
이메일 | info@bookk.co.kr

ISBN | 979-11-410-9186-6

www.bookk.co.kr
ⓒ 백태명

옛글 오늘 일

1

백태명

역사의 주인

차례

책머리에

한문 고전을 읽으며 오늘날 일과 만날 때가 있다. 악행과 선행, 비리와 미담, 성공과 실패가 판박이 같다고나 할까. 옛글에 함축성 높은 생각의 결실이 가득 차 있다. 어렵다는 선입견으로 외면하기에는 너무 아깝다.

크게 봐서 중세 2000년을 돌아보며, 좁게 봐서 근대 200년을 살아가면서 다음 시대를 바라본다. 원시-고대-중세-근대로 시대 구분하면 중세에 인류문명이 확립된 것이 아닐까? 근대 극복의 다음 시대는 중세를 알고 이어야 한다.

동아시아 중세는 '공동문어' 한문 속에 들어있다. 한문을 구닥다리라 생각하는 이들이 많다. 그렇게 보이는 속에 놀라운 내용과 표현이 웅크리고 있다. 한문은 어려우나 알고 보면 공부법은 뜻밖에 간명하다. 내용의 대강을 파악하고 해당 원문을 거듭 성독하면 깊은 뜻을 찾을 수 있다. 글만 읽고 뜻을 알지 못하는 함정에서 뛰쳐나와야 한다.

조동일 교수가 펴낸 《우리 옛글의 놀라움》이 한문 공부 입문서로 더할 나위 없다. 친절하게 한문 문장을 풀고, 논의에서 아무나 할 수 없는 깊은

의미를 펼친다. 문장은 자기를 속일 수 없어 존재의 실상을 따라가지 못한 허위도 짚어낸다. 우리 선학은 이야기는 우리말로 하고 글은 한문을 쓰면서 이중언어 생활을 했다. 글에 담긴 창조력의 깊이와 넓이가 놀랍다. 우리가 이어가지 않을 수 없다.

조동일 교수의 여러 저서와 유튜브 강의를 들으며 옛글과 오늘 일을 합치는 발상을 하게 되었다. 2016년부터 주간신문 '울산저널'에 실은 글을 지금 다듬고 정리해 단행본으로 낸다. 글에 영욕의 시대가 오르내린다. 대통령이 네 번씩이나 뜨고 이울고 있다. 정치 격동, 대규모 인명 피해, 민생 파탄, 나라의 불운이 반복되는 것이 아닌가? 국민이 깨어나 능력 있는 정치 인재를 키워서 부려야 하겠다. 한문 고전에서 그 길을 찾고, 오래된 미래와 만나보자.

1. '가을 오동'을 그리며

아마도 황진이는 이규보의 '영동(詠桐)'을 보고 시조를 읊고, 김도향은 황진이 시조에서 영감을 얻어 이 노래를 작곡했으리라. 이규보-황진이-김도향으로 이어지는 쿵쾅대는 **예맥**을 느껴보자.

봉황은 봉황대로 잡새는 잡새대로 할 일이 있어 나타난다. 잡새만도 못한 위인이 봉황의 자리를 꿰차고 앉아 역사의 흐름에 분탕질 치니 어쩌면 좋은가? 언제나 위기를 기회로 삼아 더 나은 가치를 창조한 우리가 분발해야 한다.

기후 위기, 인공지능이 가져올 미래는 알 수 없어 불안하다. 근대에서 다음 시대로 넘어가고 있다. 우리가 갖춰야 할 것은 무엇인가? 토론의 광장을 넓혀 옛사람을 만나면 거기 뾰족한 수가 있지 않을까?

[한시읊기]

詠桐(영동)이라

李奎報(이규보)라

漠漠陰成幄(막막음성악)하다
飄飄葉散圭(표표엽산규)를
本因高鳳植(본인고봉식)인데
空有衆禽棲(공유중금서)를

오동을 노래하다

넓고 넓은 그늘 장막 시원하게 펼치다가
나부끼는 오동잎이 홀규처럼 흩어지네.
본래 높이 나는 봉황새 보려고 심었는데
부질없이 잡새 들만 깃들어 사네.

漠(막): 사막막, 아득할막
幄(악): 휘장악, 장막악
飄(표): 회오리바람, 질풍바람
鳳(봉): 봉황
圭(규): 홀규 ①옥으로 만든 홀(笏). 위 끝은 뾰족
하고 아래가 세 모 또는 네 모가 졌음. 예전 동아
시아에서 천자(天子)가 제후(諸侯)를 봉하거나 신
을 모실 때 쓴 납작한 물건
因(인): 때문에
棲(서): 깃들어 살다.
空(공): 공연히

[글귀풀이]

詠桐(영동) : 오동을 읊다
李奎報(이규보) : 별이 알려 준 아이,
漠漠 : 넓고 넓은
陰成幄 : 그늘(陰)을 장막(幄)처럼 이루다가(成)

飄飄 : 휘날리는 가을바람에
葉散圭 : 잎이 홀규처럼 흩어지네.
本因高鳳植 : 본래 높이 나는 봉황 때문에(因) 심었는데, 봉황을 위해서,
空有衆禽棲 : 부질없이 뭇 새 들만 깃들어 사네.

[시조 읊기]

벽오동(碧梧桐) 심은 뜻은
황진이

벽오동 심은 뜻은 봉황을 보렸더니
내 심은 탓인가 기다려도 아니오네
무심한 일편 명월이 빈 가지에 걸렸어라.

[가요 부르기]

벽오동 심은 뜻은
김도향 노래

벽오동 심은 뜻은 봉황을 보잤더니
어이타 봉황은 꿈이었다 안 오시뇨
하늘아 무너져라 와 뚜뚜뚜 뚜뚜 뚜뚜
잔별아 쏟아져라 와 뚜뚜뚜 뚜뚜 뚜뚜
달맞이 가잔 뜻은 님을 모셔 가져인데

어이타 우리님은 가고 아니오신느뇨
하늘아 무너져라 와 뚜뚜뚜 뚜뚜 뚜뚜
잔별아 쏟아져라 와 뚜뚜뚜 뚜뚜 뚜뚜
벽오동 심은 뜻은 봉황을 보았더니
어이타 봉황은 꿈이었다 안 오시뇨

　　　　최고 예인 황진이가 지은 시조에 멋진 멜로디를 붙여 노래를 만들었다. 군악대 시절의 친구 손창철과 투 코리언즈 (Two Koreans)라는 이름으로 가요계 데뷔할 때 부른 노래다. 1970년도에 김도향이 작사, 작곡한 곡으로 우리 가락에 쩌렁쩌렁한 목소리를 얹어 크게 히트 친 곡이다.

*藝脈
*一片
*明月

2. 추위와 더위를 이기는 방법

　　예나 이제나 더위와 추위는 사람을 단련시키는 스승입니다. 종잡을 수 없는 날씨 변화는 더욱 매서운 선생님이 되어가네요. 앞으로 가면 갈수록 추위와 더위가 더 기승을 부리겠지요. 우리 한 사람 한 사람이 더위와 추위에 잘 대처한다면, 지구가 겪는 기후 위기를 극복하는 지혜가 그 안에 들어있지 않을까요?

[편지감상]

사촌형님께

사람들이 심한 더위와 모진 추위에 대처하는 방법을 모르고 있는 듯합니다. 옷을 벗거나 부채를 휘둘러도 불꽃 같은 열기를 견뎌내지 못하면 더욱 덥기만 하고, 화롯불을 쪼이거나 털배자를 껴입어도 찬 기운을 물리치지 못하면 더욱 떨리기만 할 뿐이니, 이것저것 모두가 독서에 몰두하는 것만 못합니다. 무엇보다도 자기 마음속에서 추위와 더위를 일으키지 않는 것이 가장 중요한 일이겠지요.

<원문 성독>

上從兄이라
　　　　　朴趾源이라

人於酷暑嚴沍에　不識處之之道니라　脫衣揮箑에도　不勝炎熱
이면　則逾熱이요　炙爐襲裘에도　不禁寒栗이면　則逾冷이니
不如着心讀書니라.　要之自家胷中에　不作寒熱이라.

<글자 공부>

上위상,　從좇을종,　兄맏형,　朴성박,　趾발지,　源근원원,　人사람
인,　於어조사어,　酷독할혹,　暑더울서,　嚴엄할엄,　沍차가울호,
不아니불,　識알식,　處대처할처,　之지시대명사지,　之조사지,
道방도도,　脫벗을탈,　衣옷의,　揮휘두를휘,　**箑부채삽**,　不아니
불,　勝이길승,　炎불탈염,　熱더울열,　則곧즉,　逾더욱유,　熱더울
열,　炙구울자,　爐화로로,　襲꺼입을습,　裘갖옷구,　不아니불,　禁
금할금,　寒찰한,　栗떨릴율,　則곧즉,　逾더욱유,　冷찰냉,　不아니
불,　如같을여,　着붙을착,　心마음심,　讀읽을독,　書글서,　要중요
할요,　之조사지,　自스스로자,　家집가,　胷가슴흉,　中가운데중,
不아니불,　作지을작,　寒찰한,　熱더울열

<글귀 풀이>

人於酷暑嚴冱에 : 사람이 심한 더위와 혹독한 추위를 만나
면
不識處之之道니라 : 그것에 대처하는 방도를 알지 못한다.
脫衣揮箑에도 : 옷을 벗어젖히고 부채를 부쳐도
不勝炎熱則逾熱이요 : 타는 듯한 더위를 이기지 못하면 더
욱 덥고
炙爐襲裘에도 : 화로에 몸을 굽고 갖옷을 껴입어도
不禁寒栗則逾冷이니 : 추위와 떨림을 막아내지 못하면 더욱
추우니
不如着心讀書니라 : 독서에 마음을 붙이는 것만 못하다.
要之自家胷中에 : 중요한 것은 자기 가슴속에서
不作寒熱이라 : 추위와 더위를 일으키지 않는 것이다.

<사자성어 찾아서 여러 번 읊기>

酷暑嚴冱(혹서엄호)
脫衣揮箑(탈의휘삽)
炙爐襲裘(자로습구)
着心讀書(착심독서)
不作寒熱(부작한열)

3. 지진이 주는 경고를 허투루 보지 말라!

　　조선왕조실록에는 지진을 비롯한 천재지변을 거의 하나도 빼놓지 않고 다 기록해 놓은 듯하다. 동서남북 우리 국토 전역에서 일어난 지진 기록이 많기도 하다.

　　특별히 지진이 일어날 때마다 '사람들 잘못 때문에 천지가 노하신다.' 하고, 정승들은 저희가 무능해서 그러니 자리에서 물러나겠다고 하면, 임금은 자기 부덕 때문이라고 윤허하지 않았다. 이때 위정자들은 이변의 책임을 자기에게 물어 반성하는 계기로 삼았는데 오늘날 우리는 과연 어떤가?

　　선인은 지진과 같은 천재지변이 일어나면 언론의 자유를 돌아보고, 어디 말길이 막힌 데 없는가부터 찾았다. 누구나 말을 자유롭게 하도록 언로를 특별히 점검했다. 오늘 여기 우리는 정직하지 않는 구제 불능 언론, 아무도 직언하지 않는 허수아비 고위 관료, 선거로 드러난 민심조차 아주 무시하는 안하무인 권력자를 어찌해야 하는가?

＜실록 번역문＞

선조 27년 갑오(1594,만력 22)

삼가 원하건대 전하께서는 특별히 지진(地震)의 변고에 따라 구언(求言)하는 하교를 내려 언로를 활짝 열고서, 미천한 사람이라 하여 가볍게 보지 마시고, 진부하다 하여 소홀히 하지 마시고, 입바른 소리 한다고 죄주지 마시고, 오활하다고 거부하지 말아서, 사방을 보는 눈이 환하게 밝고, 사방을 듣 는 귀가 툭 터여서 국맥(國脈)을 잡아 세우는 터전을 마련 하소서.

*하교 : 좋은 해법을 찾는 부탁 말씀을 내리다
*기휘(忌諱)를 범하였다 : 윗사람이 싫어하는 소리를 하였다
*오활하다 : 물정에 어둡다
*국맥(國脈) : 나라의 골격

〈원문성독〉

伏願殿下(복원전하)이시여,　特因地震之變(특인지진지변)으 로, 別降求言之教(별강구언지교)하시고, 洞開言路(통개언로) 하시어, 勿以微賤而輕之(물이미천이경지)하시고, 勿以陳腐而 忽之(물이진부이홀지)하시고,　勿以觸諱而罪之(물이촉휘이죄 지)하시고,　勿以迂遠而拒之(물이우원이거지)하시어,　俾四目 必明(비사목필명)하시고, 四聰必達(사총필달)하셔서, 以爲扶 植國脈之根基焉(이위부식국맥지근기언)하소서.

〈글자풀이〉

伏엎드릴복, 願원할원, 殿궁궐전, 下아래하, 特특별할특, 因 인할인, 地땅지, 震떨릴진, 之, 變변할변, 別특별할별, 降내릴 강, 求구할구, 言,之, 教하교교, **洞꿰뚫을통**, 開열개, 言, 路길 로, 勿말물, 以써이, 微작을미, 賤천할천, 而, 輕가벼이여길

경, 之,勿,以, 陳묵을진, 腐썩을부, 而, 忽소홀홀, 之,勿,以, 觸범할촉, 諱꺼릴휘, 而,罪,之,勿,以, 迂멀우, 遠멀원, 而, 拒거부할거, 之, 俾하여금비,더할비, 四,目,必, 明눈밝을명, 四, 聰귀밝을총, 必,達,以,爲, 扶도울부, 植심을식, 國나라국, 脈맥맥, 之, 根뿌리근, 基터기, 焉이에언。

<글귀 풀이>

伏願殿下(복원전하)하오니 : 전하께 엎드려 원하옵나니
特因地震之變(특인지진지변)으로 : 특별히 지진의 변고로 말미암아
別降求言之敎(별강구언지교)하여 : 말씀(좋은 해결책)을 구하는 교지를 따로 내리시어
洞開言路(통개언로)하여 : 언로를 활짝 열어
勿以微賤而輕之(물이미천이경지)하고 : 신분이 미천한 사람의 말이라고 가벼이 여기지 말고
勿以陳腐而忽之(물이진부이홀지)하고 : 늙은이들의 묵고 낡은 생각이라고 소홀히 여기지 말고
勿以觸諱而罪之(물이촉휘이죄지)하고 : 왕의 잘못을 대놓고 따지는 혈기방장한 이도 죄주지 말고
勿以迂遠而拒之(물이우원이거지)하고 : 세상 물정에 어두운 소리라고 거부하지 말고
俾四目必明(비사목필명)하고 : 하여금 사방을 바라보는 눈이 반드시 밝으시고, 전하 스스로 사방을 환히 꿰뚫어 보는 안목을 반드시 갖추시고
四聰必達(사총필달)하여 : 사방에서 들려오는 온갖 부르짖음

에 반드시 귀를 열어
以爲扶植國脈之根基焉(이위부식국맥지근기언)하소서 : 나라
의 뿌리와 기틀을 든든하게 세우는 계기로 삼으소서.

[표현 공부]

勿以微賤而輕之
勿以陳腐而忽之
勿以觸諱而罪之
勿以迂遠而拒之

4. 학문을 권하며

율곡 선생은 '言語動靜之間(언어동정지간)에 各得其當(각득기당)'을 '學問(학문)'이라 했다. 일상생활을 하면서 각자가 마땅하게 행동하면 학문하는 것이다. 실천을 중시한 학문 해석이다.

교사가 나날이 하는 독서, 글쓰기, 수업이 바로 학문이리라. 각기 자기가 하는 일을 잘하기 위해 노력하는 것이 학문하는 삶이다. 방법을 알고 실천하면 보람이 쌓인다.

'청출어람'이 순자의 권학편 첫머리에 나온다. 나날이 살아가는 일상을 가다듬고 돌아보면 학문으로 성장하는 자기를 만난다. 쪽(藍)과 물(水)이 일상이며 더 푸른빛(靑)과 더 차가움(冰)이 학문의 보람이고 효과라고 생각한다.

<번역>

학문을 권하며
　　　　　　　　순자

군자가 말하기를 학문을 그만둘 수 없다. 푸른빛은 쪽에서 나오나 쪽보다 더 푸르고, 얼음은 물이 변한 것이지만 물보다 더 차갑다. 먹줄 튕겨서 나무를 곧게 한다. 그것을 휘어서 바퀴를 만든다. 아주 컴퍼스로 그린 듯 둥근 바퀴 테를 완성하면 비록 햇볕에 말려도 풀리지 않는다. 나무를 굽혀서 그렇게 만들었기 때문이다. 나무는 먹줄을 받아 곧아지고, 쇠는 숫돌에 갈면 날카로워진다. 군자가 널리 배우고 하루에 세 번씩 자신을 돌아보면 지혜가 밝아지고, 행실에 허물이 없게 된다.

<원문 성독>

荀子 勸學이라

君子曰 : 學不可以已라。青、取之於藍, 而青於藍이요 ; 冰、水爲之, 而寒於水라。木直中繩이면, 輮以爲輪하여, 其曲中規면, 雖有槁暴이나, 不復挺者는   輮使之然也니라。故木受繩則直이요, 金就礪則利이니, 君子博學而日參省乎己이면, 則智明而行無過矣리라。

<한자 훈독(訓讀)>

荀풀이름순, 勸권할권, 學배울학, 君군자군, 曰말할왈, 以써이, 已그만둘이, 靑푸를청, 取취할취, 於에서어, 藍쪽람, 冰얼음빙, 寒찰한, 於보다어, 直곧을직, 繩먹줄승, 輮휠유,바퀴테유, 輪바퀴륜, 曲굽을곡, 中맞을중, 規컴퍼스규,그림쇠규, 雖비록수, 槁마를고, 暴햇볕쪼일폭, 復다시부, 挺펴질정, 使하여금사, 然그럴연, 受받을수, 金쇠금, 就나아갈취, 礪숫돌려, 利날카로울리, 博넓을박, 參석삼, 省살필성, 智지혜지, 過허물과

<글귀 풀이>

荀子(순자): 중국 전국시대 말기 사상가로 맹자(孟子)의 성선설(性善說)을 비판하여 성악설(性惡說)을 주장했다. 예(禮)를 강조하여 유학 사상 발달에 큰 영향을 끼쳤다.
勸學(권학)이라: 학문을 권하다.
君子曰(군자왈): 군자가 말하기를
學不可以已(학불가이이)라: 학문은 가히 써 그만둘 수 없다.
靑取之於藍而(청취지어람이): 청색은 쪽에서 취하지만
靑於藍(청어람)이요: 쪽보다 더 푸르고
冰水爲之而(빙수위지이): 얼음은 물이 된 것이지만
寒於水(한어수)라: 물보다 더 차다.
木直中繩(목직중승)을: 먹줄 맞아 곧게 빠진 나무를
輮以爲輪(유이위륜)이라: 굽혀서 바퀴를 만들 수 있다.
其曲中規(기곡중규)면: 그 둥근 것이 그림쇠에 맞으면
雖有槁暴(수유고폭)이라도: 비록 땡볕에 바짝 말려도
不復挺者(불부정자)는: 다시는 펴지지 않는 것은
輮使之然也(유사지연야)라: 굽혀서 그렇게 만들었기 때문이다.
故木受繩則直(고목수승즉직)이요: 그러므로 나무는 먹줄을 튕겨서 곧게 할 수 있고,
金就礪則利(금취려즉리)라: 쇠는 숫돌에 갈면 날카로워진다.
君子博學而日參省乎己(군자박학이일삼성호기)이면: 군자가 널리 배우고 하루에 세 번씩 자기를 반성하면
則智明而行無過矣(즉지명이행무과의)리라: 지혜가 밝아지고 행동에 허물이 없을 것이다.

5. 원효

    우리나라 어느 산, 어느 골짝, 어느 도심에도 원효사, 원효암이 없는 데가 없다. 원효 스님 인기가 예나 이제나 식을 줄 모른다.

    조동일 교수는 원효를 한 마디로 이렇게 말한다. "원효는 자기 시대의 한계를 넘어섰다. 중세 전기의 **이상주의적 일원론**을 내부에서 개조해, 중세 후기 **이원론**을 넘어서는 다음 시대의 **현실주의적 일원론**을 이룩하는 선구자였다. 1이 2이고, 2가 1인 관계를 역동적으로 파악해 '**생극론**'으로 나아가는 길을 열었다."

    까마득한 옛날에 살면서 환하게 앞날을 내다보며 인류의 삶을 개척했다는 말이다. 그때나 이제나 원효를 찾지 않을 수 없네. '현실주의 일원론의 삶'이란 곧 자기 생업에 충실한 직장인, 처절하게 살아가는 빈민, 삶을 누리는 대중들의 일상이라고 이해할 수 있다.

    원효가 학창 시절에 선생님께 올린 시를 한 편 감상해 보자. 대구(對句)가 선명해 쉽고 울림이 크다. 스스로 티끌과 물방울의 자세로 스승의 경지인 영취산과 용연을 향한다. 은사를 생각하는 마음이 진지하고 삶의 목표가 뚜렷하다. 나날이 주고받는 사제지간(師弟之間)의 훈훈한 정까지 느낄 수 있다.

[한시 낭독]

西谷沙彌稽首禮(서곡사미계수례)하니
東岳上德高嚴前(동악상덕고암전)을
吹以細塵補鷲岳(취이세진보취악)하고
飛以微滴投龍淵(비이미적투용연)을

서쪽 골짜기 학생 원효가
동쪽 봉우리 우뚝한 스승님께 인사를 올립니다.
가는 티끌을 불어서 영취산에 보태고
작은 물방울 날려서 용연에 던집니다.

<한자 훈독(訓讀)>

西서녘서, 谷골곡, 沙모래사, 彌두루미, 稽머무를계, 首머리
수, 禮예도례, 東동녘동, 岳큰산악, 德사랑덕, 嚴바위암, 吹불
취, 以써이, 細가늘세, 塵터럭진, 補더할보, 鷲수리취, 飛날
비, 微작을미, 滴물방울적, 投던질투, 龍용용, 淵못연,

<글귀 풀이>

西谷: 서쪽 골짜기
沙彌: 십계를 받고 불도를 닦는 어린 남자 승려
稽首禮: 머리 숙여 예배하다
東岳: 동쪽 큰 산
上德高嚴前: 높은 바위 같은 큰 스승님 전에

吹以細塵: 가는 터럭을 불어서
補鷲岳: 영취산에 보태고
飛以微滴: 작은 물방울 날려서
投龍淵: 용이 사는 큰 연못에 던지다

6. 물이 가장 좋아

　　　　우리의 생명줄 '사대강(四大江)'이 갇힌 채 썩어가고, 물로 농사짓던 농부가 직사로 물대포를 맞고 쓰러진 지 300여 일 만에 결국 유명을 달리했다. 아무도 사과하지 않고 아무도 책임지지 않는 2016년 대한민국 정부다. 신성한 물의 가치를 이렇게 훼손해도 되는가? 물을 욕보이는 시커먼 정치 모리배를 노자는 어떻게 생각할까?

<노자 8장>

上善若水니라。水善利萬物而不爭하고　處衆人之所惡하니, 故幾於道니라。居善地하고,　　心善淵하고,　　與善天하고, 言善信하고,　正善治하고,　事善能하고,　動善時니라。夫唯不爭이니,　故無尤니라。

<해석>

上善若水(상선약수)니라 : 가장 잘하는 것은 물 같다. 순한 물이 가장 훌륭하다.(若＝順)
水善利萬物而不爭(수선리만물이부쟁)하고 : 물은 만물을 오로지 이롭게 할 뿐 다투는 일이 없고
處衆人之所惡(처중인지소오)하니 : 대중이 싫어하는 곳에 (찾아들어) 머문다.

故로 幾於道(기어도)니라 : 그래서 물은 (최고의 경지인) 도
　　에 가깝다.
居善地(거선지)하고 : (물과 같은 이런 덕을 가진 사람은)
　　낮은 데 잘 거처하고 (地: 낮은 곳), (農夫)
心善淵(심선연)하고 : 깊은 연못처럼 마음을 고요하게 쓰고
與善天(여선천)하고 : 하늘처럼 공평하게 잘 베풀고(與),
言善信(언선신)하고 : 하는 말에는 꼭 믿음이 있고(투명한
　　물처럼 믿음이 있고)
正善治(정선치)하고 : 정치를 하면 바르게 잘 다스리고
事善能(사선능)하고 : 일할 때는 능력을 잘 발휘하고,
動善時(동선시)니라 : 때에 맞는 행동을 잘한다.
夫唯不爭(부유부쟁)하니 : 오직 다투지 않으니
故로 無尤(고무우)니라 : 그래서 허물이 없구나.

7. "그대는 그런 사람을 가졌는가?"

　　《논어》태백 6장에 증자의 말씀이 보인다. 읽는 순간 함석헌의 시 "그대는 그런 사람을 가졌는가?"가 생각이 난다. 지금은 여왕의 시대도 아니고 영웅의 시대도 아니다. 개방과 자유가 넘쳐 고도의 전문성을 갖춘 각양각색의 인재가 갈등과 분란을 해결하고 조정한다.

　　이런 믿음직한 인재를 뽑아 적재적소에 배치하는 사람이 대통령이다. 어떤 시대든 능력자가 있어 할 일을 기다린다. 대통령이 되어서 꼭 제 수첩에서만, 꼭 제 구미에 맞는 사람만, 술친구나 선후배, 같이 일했던 사람, 카풀을 한 사람, 약점이 많아 부려 먹기 편한 결함자를 뽑아서 심부름꾼이나 마름이나 졸개 취급한다면 나라의 혼란을 막을 수 없다.

<본문 번역>
증자가 말하기를: "자그마하고 어린 고아 군주를 맡길만하고, 백 리 정도 되는 제후국의 운명을 맡길만하며, 심각하고 결정적인 사태에 직면해서도 자신의 소신을 굽히지 않는 사람은 군자인가? 군자일 것이다.

<본문>
曾子曰: "可以託六尺之孤하며, 可以寄百里之命이요, 臨大節而不可奪也이면, 君子人與아? 君子人也니라."

<훈독>
託맡길탁, 孤고아고,외로울고, 寄맡길기, 節마디절,일절, 與의 문사여, 也결단사야

<성독>
可以託六尺之孤(가이탁육척지고)하며: 어린 고아 임금을 맡길만하며

可以寄百里之命(가이기백리지명)이요: 사방 백 리 정도 제후국의 운명을 맡길만하고

臨大節而不可奪也(임대절이불가탈야)면: 큰일을 당하고도 그 사람의 마음을 빼앗을 수 없다면, 큰일에도 마음이 흔들리지 않는다면

君子人與(군자인여)아: 군자다운 사람인가?

君子人也(군자인야)니라: 군자다운 사람일 것이다.

<함석헌의 시>

그대는 그런 사람을 가졌는가?

함석헌

만 리 길 나서는 길
처자를 내맡기며
맘 놓고 갈 만한 사람
그 사람을 그대는 가졌는가.

온 세상이 다 나를 버려
마음이 외로울 때도
"저 맘이야" 하고 믿어지는
그 사람을 그대는 가졌는가.

탔던 배 꺼지는 시간
구명대 서로 사양하며
"너만은 제발 살아다오." 말할
그 사람을 그대는 가졌는가.

불의의 사형장에서
"다 죽어도 너희 세상 빛을 위해
저만은 살려 두거라." 일러 줄
그 사람을 그대는 가졌는가.

잊지 못할 이 세상을 놓고 떠나려 할 때
"저 하나 있으니" 하며
빙긋이 웃고 눈을 감을
그 사람을 그대는 가졌는가.

온 세상의 찬성보다
"아니." 하고 가만히 머리 흔들 그 한 얼굴 생각에
알뜰한 유혹을 물리치게 되는
그 사람을 그대는 가졌는가.

8. 내게 벗이 있어 정이 형제보다 나았는데

　　나라 꼴이 우습게 되어간다. 대통령이 국정을 농단해 감옥에 가는 일이 닿아서 일어나고 또 일어날 조짐이 보인다. 손바닥에 '王'자 쓰고 나타난 이가 대통령이 되어 기어이 사달이 일어날 판이다. 신돈이 어른거릴 때 정도전을 불러와야 한다. 허탈과 절망을 딛고 진실 위에 희망의 나래를 펼쳐야 한다.

　　정도전 선생이 죄를 지어 남쪽 변방으로 귀양을 갔다. 평소에 글을 읽느라 집안일은 아내가 도맡았다. 억장이 무너진 아내가 "뒷날에 입신양명(立身揚名)하여 평안과 영광을 기대했는데, 끝내는 국법에 저촉되어 이름이 욕되고 행적이 깎이며, 질병에 몸이 쓰러지고, 형제들은 나가떨어져서 가문이 여지없이 무너져, 세상 사람들의 웃음거리가 되었는데, 이런 것이 현인군자의 일입니까?"하고 인편으로 귀양지에 있는 남편에게 따지자, 남편은 다음과 같이 말했다.

<원문 해석>

재난에 빠진 집안

　그 사람들이 나를 걱정하지 않는 것은 본래 세력으로 맺어지고 사랑으로 맺어지지 않았기 때문이오. 부부관계는 한 번 혼인하면 종신토록 고치지 않는 것이니, 그대가 나를 책망하는 것은 사랑해서이지 미워서가 아닐 것이오. 또 아내가 남편과 함께하는 것은, 신하가 임금을 섬기는 것과 같으니, 이 이치는 허망하지 않으며 다 같이 하늘의 이치를 얻은 것이오. 그대는 집안을 걱정하고, 나는 나라를 근심하는 것 외에 어찌 다른 뜻이 있겠소? 각각 맡은 직분만 다할 뿐이며 그 성패(成敗)와 이둔(利鈍)과 영욕(榮辱)과 득실(得失)은 하늘이 정할 것이지 사람이 관여할 일이 아니니 그 무엇을 근심하겠소?"

<읽기와 풀이>

가난(家難)

정도전(鄭道傳)

子言誠然(자언성연)이요 : 그대의 말이 참으로 옳소.
我有朋友(아유붕우)하여 : 나에게 친구가 있어
情逾弟昆(정유제곤)한데 : 정이 형제보다 나았는데 (昆형곤)
見我之敗(견아지패)하고는 : 내가 망한 것을 보고는
散如浮雲(산여부운)하니 : 뜬구름처럼 흩어지니,
彼不我憂(피불아우)요 : 저 사람은 나를 근심한 것이 아니요
(憂근심할우)
以勢非恩(이세비은)이라 : 세력 때문이니 인정이 아니다.
(恩인정은)
夫婦之道(부부지도)는 : 부부의 도리는
一醮終身(일초종신)하니 : 한번 혼례를 올리면, 종신토록 유

지되니 (醮초례초:전통혼례식)

子之責我(자지책아)는 : 당신이 나를 책망하는 것은

愛非惡焉(애비오언)이라 : 사랑이지 미움이 아니다.

且婦事夫(차부사부)는 : 또 아내가 지아비를 섬기는 것은

猶臣事君(유신사군)이니 : 신하가 임금을 섬기는 것과 같으니

此理無妄(차리무망)이요 : 이 도리는 거짓이 없고,

同得乎天(동득호천)이라 : 하늘의 이치를 함께 깨친 것이라.

子憂其家(자우기가)하고 : 당신은 집안을 걱정하고

我憂其國(아우기국)인데 : 나는 나라를 걱정하는데

豈有他哉(기유타재)리오 : 어찌 다른 뜻이 있으리오.

各盡其職而已矣(각진기직이이의)니라 : 각각 자기의 직분을 다할 뿐이오.

若夫成敗利鈍(약부성패리둔)과 : 무릇 성공과 패배와 날카로움과 무딤과

榮辱得失(영욕득실)은 : 영광과 모욕과 이득과 손실은

天也(천야)요 : 하늘에 달려 있고

非人也(비인야)이니 : 사람에 달린 것이 아니니

其何恤乎(기하휼호)리오 : 그 어찌 근심하리오.(恤근심할휼)

<훈독(訓讀)>

子그대자, 逾넘을유, 昆맏곤,형곤, 恩사랑은, 醮초례초(정통혼인예식), 終끝낼종, 身몸신, 事함께일할사, 猶같을유, 利예리할이, 鈍무딜둔, 榮영광영, 辱욕될욕, 得성공득, 失실패실, 何어찌하, 恤근심할휼, 乎의문사호。

<원문 성독>

子言誠然이요。我有朋友인데。情逾弟昆이라。見我之敗
에。散如浮雲하니。彼不我憂요。以勢非恩이라。夫婦之道
는。一醮終身이니。子之責我는。愛非惡焉이라。且婦事夫
는。猶臣事君이니。此理無妄이요。同得乎天이라。子憂其
家요。我憂其國이니。豈有他哉리오。各盡其職而已矣니
라。若夫成敗利鈍과。榮辱得失은。天也요。非人也이니。
其何恤乎리오。

9. 허균의 豪民論 1

　　허균은 <호민론>에서 백성이 가히 두려운 존재라 하고, 항민, 원민, 호민을 말했다. 불의에 저항하기보다 체제에 안주하는 일반 백성, 불평과 불만으로 한숨 쉬고 욕하는 백성, 변혁의 욕망을 품고 숨어서 때를 기다리는 백성인데, 여기서 호민을 주목했다.

　　오늘 우리가 당하는 이 시국은 항민(恒民), 원민(怨民), 호민(豪民)이 동시에 일어나서 나라의 기틀을 새롭게 하지 않을 수 없는 때다. 생업에 종사하며 각자 창조주권을 발현하여 공동체 발전에 이바지하면, 위기가 기회로 뒤집히리라.

*恒民不足畏也:항민부족외야: 항민은 두려워할 것이 없다.
*怨民不必畏也:원민불필외야: 원민은 꼭 두려운 것은 아니다.
*夫豪民者, 大可畏也:부호민자, 대가외야: 호민은 크게 두려워할 존재다.

<성독>
天下之所可畏者(천하지소가외자)는
唯民而已(유민이이)라
民之可畏(민지가외)는
有甚於水火虎豹(유심어수화호표)니라
在上者方且狎馴而虐使之(재상자방차압순이학사지)하니

- 34 -

抑獨何哉(억독하재)아

<내용>
천하에 가히 두려운 것은
오로지 백성뿐이다.
백성이 두려운 것은
홍수, 화재, 호랑이, 표범보다도 더 심한데
그런데도 윗자리에 앉은 것들은 백성을 업신여기고 길들여
가혹하게 부려 먹으니
도대체 어찌 이럴 수 있는가?

<직역>
天下之: 천하에서
所可畏者: 가히 두려워할 바 것은
唯民而已: 오로지 백성일 뿐이다.
民之可畏: 백성이 가히 두렵기는
有甚於水火虎豹: 물, 불, 범, 표범보다 더 심함이 있다.
在上者方且狎馴而虐使之: 위에 있는 자가 (이렇게 무서운
백성을) 바야흐로 또 가벼이 보고 길들여서 사납게 부리는
까닭은
抑獨何哉(억독하재): 도대체 유독 어째서인가?

<훈독>
豪호걸호,용감할호, 甚: 심할심, 於: 보다어, 豹: 표범표, 狎:
업신여길압, 馴: 길들일순, 虐: 사나울학, 使: 부릴사, 抑: 누
를억, 아니억, 獨: 어찌독, 何: 어떻게하

10. 허균의 豪民論 2

恒民(항민)

　　　말하자면 성취한 것을 끼리끼리 즐기며, 늘 일상에 얽매여 그냥 법을 지키면서 권력자들이 시키는 대로 따르는 사람이 항민(恒民)이다. 권력자들에게 항민은 두려운 존재가 아니다.

<聲讀(성독)>
夫可與樂成而拘於所常見者(부가여낙성이구어소상견자)하여
循循然奉法役於上者(순순연봉법역어상자)가
恒民也(항민야)라。
恒民不足畏也(항민부족외야)니라。

<직역>
夫(부): 무릇
可與樂成而(가여낙성이): 가히 더불어 이룬 바를 즐기면서
拘於所常見者(구어소상견자): 늘 보는 것에 얽매여
循循然(순순연): (현실을) 그럭저럭 좇아서, (拘잡힐구)
奉法役於上者(봉법역어상자): 법을 받들며 윗사람에게 부림을 당하는 사람이 (循좇을순, 奉받들봉, 恒항상항)
恒民也(항민야): 보통 사람이다.
恒民不足畏也(항민부족외야): 보통 사람은 족히 두려워할 만하지 않다.

11. 허균의 호민론 3

怨民(원민)이라

厲取之而剝膚椎髓(려취지이 '박부추수')하고
竭其廬入地出(갈기 '려입지출')하여
以供无窮之求(이공 '무궁지구')하며
愁嘆咄嗟(수탄돌차)하며
咎其上者(구,기상자)가
怨民也(원민야)니
怨民不必畏也(원민,불필외야)라

<내용 공부>

모질게 빼앗겨서, 살이 벗겨지고 뼛골이 부서지
며, 집안의 수입과 땅의 소출을 다 바쳐서, 권력
자들의 끝없는 요구를 다 들어주느라 시름하고
울부짖고 탄식하면서 윗사람을 탓하는 사람들이
원민(怨民)이다. 권력자들에게 원민도 결코 두려
운 존재가 아니다.

<해석 공부>

厲(려): (厲모질게려) 모질게 인정사정없이

取之: (세금을) 거두어 가서 (收取하여)

而剝膚椎髓: 살을 벗기고 뼛골이 부서지며(剝벗길박, 膚살갗부, 椎몽치추, 髓골수수(骨髓)), '박부추수'

竭其廬入地出以供无窮之求: 그 집안의 수입과 땅의 소출을 다 내어서 (권력자의) 끝없는 요구를 다 들어주며 (竭다할갈, 廬오두막집려, 供이바지할공,대줄공, 无없을무, 窮다할궁)

愁嘆咄嗟(수탄돌차): 걱정하고 탄식하고 놀라자빠지고 한숨쉬며(愁시름할수, 嘆탄식할탄, 咄놀라지르는소리돌, 嗟탄식할차)

咎其上者(구'기상자'): 그 윗사람을 욕하는 자가 (咎허물구, 욕할구)

怨民也(원민야): 원망하는 백성이다.

怨民不必畏也(원민불필외야): 원민도 군이 꼭 두려워할 필요는 없다. (必꼭필, 畏두려워할외)

12. 허균의 豪民論 4

豪民

　　몸을 푸줏간에 숨기고 몰래 딴마음을 품고서, 천지간(天地間)을 흘겨보다가 혹시 시대에 변고라도 생기면 자기가 바라는 것을 실현하고자 하는 사람이 호민(豪民)이다. 무릇 호민이란 위정자들이 몹시 두려워해야 할 사람이다.

<직역>

潛蹤屠販之中(잠종도판지중)하고 : 자취를 고기 잡아 파는 데에 (푸줏간에) 숨기고
陰蓄異心(음축이심)하며 : 그윽이 다른 마음을 쌓아가며
僻倪天地間(벽예천지간)하다 : 후미진 곳에서 천지 사이를 흘겨보다가
幸時之有故(행시지유고)이면 : 바라는 대로 시대에 변고가 생기면
欲售其願者(욕수기원자)가 : 자기가 원하는 것을 실행하고자 하는 사람이
豪民也(호민야)라 : 호걸 기질의 사람이다.
夫豪民者(부호민자)는 : 무릇 호방하고 의협심 강한 백성은
大可畏也(대가외야)니라 : 권력자가 크게 두려워해야 할 존재이다.

<성독>

潛蹤屠販之中(잠종도판지중)하고
陰蓄異心(음축이심)하며
僻倪天地間(벽예천지간)하다
幸時之有故(행,시지유고)이면
欲售其願者(욕수기원자)가
豪民也(호민야)라
夫豪民者(부호민자)는
大可畏也(대가외야)니라

<훈독>

潛자맥질할잠, 蹤자취종, 屠잡을도, 販팔판
陰몰래음, 蓄쌓을축, 僻후미질벽, 倪흘겨볼예
幸다행행,행복행, 欲하고자할욕, 售실현할수,팔수,
豪호걸호,호협호,용감할호

13. 자릿값 하는 지도자를 우리가 키우자!

-정도전(鄭道傳)의 '정보위(正寶位)' 강독 1-
朝鮮經國典 上

　　정도전 선생의 《조선경국전》 첫머리 '정보위(正寶位)'는 오늘날 헌법과 같은 기능을 한다. 대통령 자리에 선 사람이 자기 스스로 그 자리를 더럽혀 나라가 혼란에 빠진 지금 꼭 새겨야 할 글이다. 그래서 제목이 '보배로운 자리를 바르게 지킴'이다.

　　성인(聖人)은 이상적인 지도자다. 천지(天地)는 삶의 토대다. 지도자의 자리는 인(仁)으로 지킬 수 있다고 한다. '세월호'에서 피어나는 학생들이 가라앉을 때 '이태원 참사'에서 꽃다운 청춘들이 압사당할 때, 우리 대통령은 무엇을 했던가? 안타까운 눈물을 흘렸던가, 악어의 눈물을 짜냈던가?

　　온 국민이 각자 자기 자리에서 생업을 일굴 때, 대통령이란 자들은 흐릿한 정신으로 술사의 마수에 걸려 국정을 농단하니 천고에 개탄할 일이다. 이런 일이 연이어 재탕되고 있으니, 실망이 이만저만 아니다. 땅을 치고 후회할 수만 없다. 자리가 소중함을 알고 자릿값을 할 수 있는 지도자를 우리가 스스로 키워야 한다. 향(享)은 '누리다', 效(효)는 '바치다', '民庶(민서)'는 '서민'이다, '以其得乎位也'에서 '以(이)'는 '때문이다'라는 뜻이다.

<직역>

正寶位라: 보배로운 자리를 바르게 지키다

易曰(역왈):《주역(周易)》에 말하기를,
聖人之大寶曰位(성인지대보왈위)요: "성인의 큰 보배는 말하자면 자리요,
天地之大德曰生(천지지대덕왈생)이니: 천지의 큰 사랑은 살리는 것이니,
何以守位요? 曰仁(하이수위,왈인)이라: 어떻게 자리를 지킬 것인가? 바로 어진 마음이다."
天子享天下之奉(천자향천하지봉)하고: 천자(天子)는 천하가 바치는 것을 누리고,
諸侯享境內之奉(제후향경내지봉)하니: 제후(諸侯)는 나라 안에서 바치는 깃을 누리니,
皆富貴之至也(개부귀지지야)라: 모두 부귀가 지극한 사람들이다.
賢能效其智(현능효기지)하고: 어질고 능력 있는 사람은 지혜를 바치고,
豪傑效其力(호걸효기력)하며: 호걸들은 무력을 바치며,
民庶奔走(민서분주)하여: 백성들은 분주히 일하여
各服其役(각복기역)하되: 각기 맡은 생업에 복무하되,
惟人君之命, 是從焉(유인군지명,시종언)이니: 오직 임금의 명령, 이것을 따를 뿐이니,
以其得乎位也(이기득호위야)니라: 그것은 임금이 자리를 얻었기 때문이다.

- 42 -

非大寶而何(비대보이하)오?: 이 자리가 큰 보배가 아니고 무엇이겠는가?

<성독>

正寶位(정보위)라

易曰(역왈)。 聖人之大寶曰位(성인지대보왈위)요。 天地之大德曰生(천지지대덕왈생)이니。 何以守位(하이수위)요。 曰仁(왈인)이라。
天子享天下之奉(천자향천하지봉)하고。 諸侯享境內之奉(제후향경내지봉)하니。 皆富貴之至也(개부귀지지야)니라。
賢能效其智(현능효기지)하고。 豪傑效其力(호걸효기력)하며。 民庶奔走(민서분주)하여。 各服其役(각복기역)하되。
惟人君之命(유인군지명)을 是從焉(시종언)이니, 以其得乎位也(이기득호위야)니라。 非大寶而何(비대보이하)오?

14. 자리에 걸맞은 지도자

-정도전(鄭道傳)의 '정보위(正寶位)' 강독 2-
朝鮮經國典 上

천지는 오로지 만물을 살리는 일이 자기 본분이다. 높고 귀한 자리에 오른 사람은 국민 살리는 일이 최우선이다. 이런 정신은 고대를 지나 중세에 형성된 정치의 중요한 덕목이리라.

나라를 돌보지 않고 사리사욕에 눈먼 전직 대통령들이 처벌받은 불행한 일이 또 일어날 판이다. 지금 대통령도 임기 2년이 안 되어 본인, 부인, 장모의 비리가 밝혀지며, 탄핵해야 한다는 여론이 비등하다. 참으로 안타까운 일이다.

이들 어중이떠중이 같은 자들의 불행은 그렇다 쳐도, 민생이 도탄에 빠져 허덕이고, 인공지능, 기후 위기, 핵전쟁, 급변하는 세계사의 흐름에 쳐져서 나라가 곤두박질치지나 않을까 노심초사하는 국민의 마음을 어찌할 것인가? 자리에 걸맞은 지도자는 아무리 강조해도 모자라지 않는다.

<내용 음미>

천지신명이 만물을 대할 때 '살리고 기르는 것'을 제 일로 삼을 따름이다. 대개 '일원의 기'는 흘러서 끊어지는 일이 없고, 만물이 살아가는 것이 모두 이 기운을 받아 이루어진다. 만물은 크고 작고 높고 낮고 각각 다르지만, 각기 그 형

태를 갖추고, 각기 그 성질을 이룬다. 천지는 '만물을 생육하는 것'으로 '자기의 마음'을 삼는다. 이른바 '만물을 살리는 마음'은 하늘의 큰 사랑이다. 임금의 자리는 높다면 높고, 귀하다면 귀하다. 그러나 천하는 지극히 넓고, 만민은 지극히 많아서, 임금이 '천하와 만민의 마음'을 하나라도 얻지 못하면 아마도 크게 염려할 일이 생길 것이다.

<성독과 해석>

正寶位(정보위)라 : 보배로운 자리를 바르게 하라

天地之於萬物(천지지어만물)에: 천지가 만물을 대할 때
一於生育而已(일어생육이이)라: 한결같이 낳고 살릴 뿐이다.
蓋其一原之氣(개기일원지기)가: 대개 근본이 하나인 기운이
周流無間(주류무간)하여: 끊어짐 없이 두루 흘러
而萬物之生(이만물지생)이: 만물의 생명이
皆受是氣以生(개수시기이생)이라: 모두 이 기운을 받아 살아간다.
洪纖高下(홍섬고하)에: 크고 작고, 높고 낮고 간에
各形其形(각형기형)하고: 각기 그 형태를 이루고
各性其性(각성기성)이라: 각기 그 본성을 이룬다.
故曰天地以生物爲心(고왈천지이생물위심)이니: 그래서 천지는 만물을 살리는 것으로 마음을 삼으니
所謂生物之心(소위생물지심)은: 이른바 만물을 살리는 마음은
卽天地之大德也(즉천지지대덕야)니라: 천지의 큰 사랑이다.

人君之位(인군지위)는: 임금의 자리는
尊則尊矣(존즉존의)요: 높다면 높고
貴則貴矣(귀즉귀의)나: 귀하다면 귀하나
然天下至廣也(연천하지광야)요: 그러나 천하는 지극히 넓고
萬民至衆也(만민지중야)하여: 만민은 지극히 많아서
一有不得其心(일유부득기심)이면: 하나라도 그 마음을 얻지 못하면
則蓋有大可慮者存焉(즉개유대가려자존언)이리라.: 크게 염려할 일이 생길 것이다.

<어구 풀이>

一於‘生育’而已: 생육을 제일로 여길 따름이라
洪纖高下: 洪클홍, 纖가늘섬, 작을섬, 크고 작고, 높고 낮고
一原之氣: 세상을 이루는 하나의 원기
天地以‘生物’爲‘心’: 천지는 ‘만물을 살리는 것’으로 ‘마음’을 삼는다.

15. "올림머리 하느라"와 "감던 머리 걷어 올리고"

인터넷 카페와 블로그에 전통 학문을 이어가고 있는 학인이 많다. 한학 자료를 모으고 풀이하고 재해석한다. '박근혜최순실국정농단' 사태에 직면하여 고전을 밝혀 개탄하니 깊은 공감을 자아낸다.

세월호 학생들이 찬 바닷물에 가라앉을 때 대통령은 올림머리를 하느라고 골든타임을 놓쳤다고 한다. 이런 대통령의 행태에 빗대 《사기(史記)》에 주공은 목욕하다가도 세 번이나 감던 머리를 걷어붙이고 나와서 손님을 맞이한 일을 소개한다.

아이들이 죽어가고 있는데 올림머리 손질하는 지도자와 현인군자를 놓칠 수 없다며 감던 머리 걷어 올리며 나오고, 먹던 밥 뱉어내고 뛰어나오는 지도자를 우리는 오늘 여기 현실과 역사에서 맞닥뜨리고 있다.

<원문 성독>
《사기(史記) 〈노주공세가(魯周公世家)〉》라

周公(주공)이 戒伯禽曰(계백금왈) 我(아)는 文王之子(문왕지자)요 武王之弟(무왕지제)요 成王之叔父(성왕지숙부)니 我於天下(아어천하)에 亦不賤矣(역불천의)니라. 然이나 我 一沐三捉髮(연아일목삼착발)하고, 一飯三吐哺(일반삼토포)하여 起以待士(기이대사)는 猶恐失天下之賢人(유공실천하지현

인)이라. 子之魯(자지노)에 愼勿以國驕人(신물이국교인)하라

<어구 해석>

周公戒伯禽曰(주공계백금왈): 주공이 아들 백금에게 경계하여 말하기를
我文王之子(아문왕지자)요: 나는 문왕의 아들이고
武王之弟(무왕지제)요: 무왕의 동생이고
成王之叔父(성왕지숙부)이니: 성왕의 숙부이니,
我於天下亦不賤矣(아어천하역불천의)니라: 이런 내가 세상에서 괄시받을 비천한 사람은 아니다.
然我一沐三捉髮(연아일목삼착발)하고: 그러나 목욕을 한 번 하면서 세 번씩이나 감던 머리를 말아 올리고 나오고
一飯三吐哺(일반삼토포)하여: 식사를 한 번 하다가도 세 번씩이나 입안에 밥을 뱉어내고
起以待士(기이대사)는: 벌떡 일어서서 선비를 기다린 것은
猶恐失天下之賢人(유공실천하지현인)이라: 오로지 천하의 현인을 잃을까 봐 두려웠기 때문이다.
子之魯(자지노)하여: 너는 노나라에 가서
愼勿以國驕人(신물이국교인): 삼가는 마음으로 국왕이라고 다른 사람에게 교만을 떨어서는 안 된다.

<훈독>
戒타이를계, 捉잡을착, 握쥘악, 髮머리카락발, 吐토할토, 哺먹을포

<사자성어>

捉髮吐哺(착발토포): 감던 머리 쥐고 나오고, 먹던 밥 토하고 나온다. 현인군자가 찾아왔을 때 인재를 놓치지 않으려고 머리 감다가도, 밥 먹다가도 뛰어나오는 최선을 다하는 군주의 자세를 말한다.

16. 선거(選擧)를 잘하라는 순자(荀子)의 당부

-2016년 올해의 사자성어 '君舟民水'-

세상이 몹시도 어지러우니 한문 고전 명구가 언론에 자주 거론된다. 근대를 극복하고 다음 시대를 설계하는데 중세의 지혜가 꼭 필요하다는 민심의 반증일까?

올해 교수들이 뽑은 사자성어가 '군주민수'다. 촛불 파도가 무능하고 무정한 대통령이라는 배를 뒤집어엎었기 때문이리라. 수레 끄는 말이 오히려 수레를 뒤집을 수 있고, 배가 물을 타지만 물이 배를 뒤집을 수 있다는 선명한 비유는 시공을 초월한다. 사자성어에 만족하지 않고 원전을 꼼꼼하게 읽으면 놀라운 혜안(慧眼)과 만날 수 있다.

지도자를 잘 뽑으라고 2000여 년 전에 순자가 신신 당부하고 있다. 그러나 우리는 지금 지도자를 잘못 뽑아 큰 고통을 겪고 있다. 한번은 부자 되게 해준다는 꼬임에 넘어갔고, 지금은 공정과 상식을 살린다는 말에 깜빡 속아 넘어가 어쩌면 돌이킬 수 없는 피해가 예상된다.

'君舟民水' 사자성어는 《순자》 <왕제> 편에 나오는데 그 부분을 함께 살펴보자. 백성에게 은혜를 베푸는 방법으로 '選賢良(선현량)하고, 擧篤敬(거독경)하고' 등을 말했는데, 選과 擧를 합치면 '선거'가 된다. 현량은 '어진 지도자'이고, 독경은 '능력을 갖춘 실무자'라고 볼 수 있다.

이 글은 2016년 12월 24일에 쓴 글이다. 또 물이 배를 뒤집으려고 넘실거린다. 역사가 반복된다지만 바로 코앞에서 불행한 역사가 재탕되고 있으니 어리석음이 지나쳐서 눈물겹다. 그러나 참혹한 비극 안에 미증유의 새로운 민주주의가 태동하고 있으니 놀랄 일이고 반드시 만들어 내야 한다.

<성독과 해석>

《荀子(순자)》 <王制(왕제)>라

馬駭輿(마해여)면 : 말이 수레를 끌 적에 놀라 내닫는다면
則君子不安輿(즉군자불안여)요 : 군자가 수레 안에서 편안할 수 없고
庶人駭政(서인해정)이면 : 백성이 정치에 놀라 어수선하면
則君子不安位(즉군자불안위)라. : 군자의 자리가 불안하다.
馬駭輿(마해여)면 : 말이 수레를 끌다가 놀라면
則莫若靜之(즉막약정지)요 : 조용히 진정시키는 것보다 좋은 게 없고
庶人駭政(서인해정)이면 : 백성이 정치에 놀라면
則莫若惠之(즉막약혜지)라. : 사랑을 베푸는 것보다 좋은 게 없다.
選賢良(선현량)하고 : 덕과 재능이 있는 사람을 골라 쓰고
擧篤敬(거독경)하고 : 독실하고 신중한 사람을 들어 올리며,
興孝弟(흥효제)하고 : 부모에게 효도하고 어른에게 공손한 사람을 일으켜 세우고
收孤寡(수고과)하고 : 고아와 과부를 거두어 보살피며,
補貧窮(보빈궁)하라 : 가난하고 곤궁한 사람을 도와줘라.

如是(여시)하면 : 이같이 한다면

則庶人安政矣(즉서인안정의)요 : 일반 백성들이 정치에 편안할 것이요

庶人安政(서인안정)然後(연후)에 : 백성들이 정치에 편안한 뒤에야

君子安位(군자안위)니라 : 군자도 그 맡은 자리가 편안할 것이다.

傳曰(전왈) : 전해오는 말에

「君者(군자)는 舟也(주야)요 : "군주란 배고

庶人者(서인자)는 水也(수야)니 : 백성이란 물이니

水則載舟(수즉재주)요 : 물은 배를 띄울 수도 있고,

水則覆舟(수즉복주)라하니」 : 물이 배를 뒤엎을 수도 있다."라고 하였으니,

此之謂也(차지위야)니라 : 이를 두고 한 말이다.

<번역문>

말이 마차를 몰다 놀라서 풀쩍 뛰면 마차 안의 군주가 불안할 수밖에 없고, 백성이 정치에 놀라 분노하면 군주의 왕위가 불안해진다. 말이 마차 몰다가 놀라면 말을 안정시켜야 하고, 백성이 정치에 놀라면 은혜를 베풀어야 한다. 현명하고 어진 인재를 뽑아 쓰고, 뜻이 굳건하고 마음이 경건한 사람을 들어 쓰고, 효성스럽고 공손한 사람을 일으켜 세우고, 고아와 과부를 거두고, 가난하고 어려운 사람을 도와주어야 한다. 이렇게 하면 백성은 정치에 편안함을 느끼고, 백성이 정치에 편안함을 느낀 뒤에 군주의 자리가 안정될 것이니, 예

부터 전해오는 말에 "군주는 배요, 백성은 물이다. 물은 배를 띄우지만, 배를 뒤집을 수도 있다." 했으니, 이것을 이른 말이다.

<훈독>

駭놀랄해, 輿수레여, 孤고아고, 寡과부과, 靜고요할정, 惠은혜혜, 賢어질현, 良어질량, 載실을재, 覆엎을복

17. 닭의 오덕(五德)을 노래하자

　　마침 거짓 닭은 물러나고 참 닭 울음소리가 울려 퍼진다. 어떤 대통령이 머리를 쓰지 않아 닭 머리라고 놀리니 오히려 닭을 모욕하는 것이 아닌가 한다. 육사는 '까마득한 날에/ 하늘이 처음 열리고/ 어데 닭 우는 소리 들렸으랴.' 하고 노래했다. 닭 울음소리는 고금에 희망을 뜻한다.

　　누가 이승만 박정희 시대를 '제1기 대한민국'이라 하며 박근혜 대통령까지 여기 넣어 끝내고, 이제 촛불혁명 이후로 들어선 정권을 '제2기 대한민국'이라고 명명했다. 지금 검찰 출신 대통령이 검찰 독재로 역사에 분탕질 치고 있다. 적폐의 연장이 확실하니 이번 정권까지 합쳐서 '제1기 대한민국'이라 하고, 다음 정권부터 '제2기 대한민국'이라 부르는 것이 마땅하리라.

　　12세기 중세 전기까지는 '중국의 시대'였다. '13-16세기 중세 후기에는 문명의 양상이 달라졌다. 李奎報 이래 고려 후기의 각성을 조선왕조에서 가다듬고 世宗이 전성기를 이끌어, 民本의 이념과 제도, 학구열과 저술, 문자 창제, 과학기술 등에서 세계 최고의 수준에 이르렀다. 그 기간은 '한국의 시대'였다고 조동일은 말한다.

　　닭은 벼슬로 文을, 발톱으로 武를, 싸움으로 勇猛을, 모이 나누기로 仁을, 새벽을 알린다고 信이라는 오덕(五德)을 갖춘 영물로 생각했다. 21세기 한국의 시대가 오는가? 조동일은 '한국의 시대가 오도록 해야 한다. 인식과 실천을 위해 최고의 통찰력을 발휘해야 하는 중대한 고비에 이르렀다.'고 말한다. 새 시대를 열기 위해 우리는 무엇을 어떻게 해야 하는가?

　　이규보 선생은 이런 영험한 닭을 아무 생각 없이 삶아 먹지 말라고 했다. 지금 우리는 치킨을 즐겨 먹어서 닭뼈가 쌓여 패총처럼 한 시대의 표상이 되고 있다. 닭이 제공하는 영양가 높은 고기와 달걀을 먹고 힘을 길러 닭이 넌지시 일러 주는 文武勇仁信 오덕을 새겨 보자.

<한시 읊기>

詠鷄(영계)라
　　　　李奎報(이규보)라

出海日猶遠(출해,일유원)이니 : 바다에서 해가 나오기 오히려 멀었어.
乾坤尙未明(건곤,상미명)을 : 건곤이 아직 밝지 않아
沈酣萬眼睡(침감만안수)인데 : 만백성 눈이 단잠에 푹 빠져 있는데(沈빠질침,酣즐길감)
驚破一聲鳴(경파,일성명)을 : 한 마디 닭 울음소리에 놀라서 깨네
索食呼雌共(색식,호자,공)이요 : 먹을거리 찾아서는 함께 먹자고 짝을 부르고
誇雄遇敵爭(과웅,우적,쟁)을 : 용감한 수컷은 적을 만나 싸우네.
吾憐五德備(오련,오덕비)하여 : 나는 문무 겸비하고, 용감하

고, 인자하고, 믿음 있는 닭을 사랑하여
莫與黍同烹(막,여서,동팽)하네 : 생각 없이 기장 넣어 삶아
먹는 것을 삼간다네.

<번역>

닭을 읊다
                    이규보(1168 ~ 1241)

바다에서 해 떠오르기 한참 멀어
아직 세상은 밝아오지 않아
깊은 단잠에 빠진 사람들
한 마디 닭 울음소리에 깜짝 놀라 깨네.
낱알을 찾으면 암컷을 부르고
거친 수탉은 적을 만나 싸우네.
文武勇仁信 오덕을 사랑하여
기장과 함께 닭을 삶지 않는다네.

18. 동쪽 하늘에 붉은 해가 떠오르네!

　　<한림별곡> 1장에 '元淳文(원순문) 仁老詩(인로시) 公老四六(공로사육)/ 李正言(이정언) 陳翰林(진한림) 雙韻 走筆(쌍운주필)' 이라는 데가 있다. 해석하면, '유원순의 문장, 이인로의 시, 이공로의 사륙변려문, 이규보와 진화의 쌍운으로 빨리 내리 짓는 시가 유명해.'라는 뜻이다. 중세 후기 새로운 시대를 이끌어갈 인재들의 향연(饗筵)을 경기체가로 나타낸 것이다.

　　진화는 이규보와 함께 중세 후기 새로운 시대를 여는 선비였다. 무신란과 몽고 침입을 겪으며 중세 전기 문벌귀족의 구체제가 무너졌다. 이념 수립의 능력은 없으면서 국정을 농단하는 권문세족의 횡포가 자행되는 전환기에 지방 향리 출신 신흥사대부들은 자기의 능력으로 정치에 참여하며, 백성들의 삶을 염려하고 새로운 이념을 수립하는 이중의 과업을 실행하기 시작했다.

　　진화는 금나라에 사신 가는 길에서 세계가 변하는 양상을 정확하게 내다보고 새 시대의 전망과 포부를 짧은 시에 나타냈다. 서화는 서쪽에 자리해 망해가는 남송을 말하고, 북채는 방책(防柵)으로 막고 있는 북방 민족 금나라와 뒤이은 원나라 등을 말한다. 문명권의 중심부에서 여진족과 몽고족을 오랑캐로 폄훼했다.

　　문명권의 중심부이던 남송은 무너지고, 변방인 금나라와 원나라는 오랑캐고, 오로지 새 시대를 이끌어갈 주체는 우리 고려라는 자부심을 나타냈다. 찬란한 문명의 아침을 열겠다는 의지가 짧은 시에 선명하다. 13-16세기 중세 후기를 맞이하는 우리 선인들의 의식과 실천을 오늘 21세기를 여는 우리는 어떻게 이어야 할까?

<한시 낭송>

奉使入金(봉사입금)이라

陳澕(진화)라

西華已蕭索(서화이소색)하고
北寨尙昏蒙(북채상혼몽)을
坐待文明旦(좌대문명단)하니
天東日欲紅(천동일욕홍)을

<해석>

사신 일을 받들어 금나라로 들어가며

진화

서쪽 중국 이미 삭막해졌고
북쪽 방책(防柵) 오히려 몽매하니
앉아서 문명의 아침을 기다리노라.
하늘 동쪽에 해가 붉게 오르고 있네.

진화가 이렇게 진취적인 시를 쓴 반면에 원나라 지배를 받는 중국의 어느 지식인은 다음과 같은 암울한 시를 동굴 벽에 썼다고 한다. 중세 후기를 맞이하는 고려인과 중국인의 마음가짐이 아주 다른 것을 볼 수 있다.

　사방 천하 모두가 여우 토끼 굴 되었고,
　온 세상 오히려 오랑캐 하늘 우러러보네.
　인간 세상 즐거운 나라 어디 있는가,
　되돌릴 수 없는 내 인생 정말 한탄스럽네.

　四野盡爲狐兎窟(사야진위호토굴)이요
　萬邦猶仰犬羊天(만방유앙견양천)을
　人間樂國是何處(인간낙국시하처)인가?
　深歎吾生不後先(심탄오생불후선)을

<글귀풀이>

四野 : 사방 들판이
盡爲狐兎窟 : 모두 여우 토끼 굴이 되고,
萬邦 : 온 나라가
猶仰犬羊天 : 오히려 개나 양 같은 오랑캐 무리가 지배하

는 하늘을 우러러보네.

人間樂國 : 사람 사는 즐거운 나라는

是何處 : 이것은 어디에 있는가?

深歎 : 깊이 한탄하노라!

吾生不後先 : 내 인생 선후를 바꾸지 못하는 것을

19. 지식인과 선비가 하나로

조동일은 지식인과 선비가 하나인 새로운 인물상을 찾는다. 근대에 들어서서 유럽 지식인이 물질에 대한 탐구를 정교하게 하고 물건을 잘 만들고 유용성을 넓혀 역사를 바꾸고 세계를 정복했다. 동아시아 선비는 과거의 유산이라 박물관으로 보내고 서세동점과 세계화에 따라 더욱 잊히게 되었다.

이제 과학 물질 만능주의 유럽 근대 문명이 위기를 맞아 새로운 시대를 열지 않을 수 없다. 사실을 존중하고 객관적이고 논리적인 근대 지식인 학문을 바탕으로 동아시아 통찰의 선비 학문을 되살려야 이것이 가능하다.

능력과 탐구를 장점으로 하는 지식인과 정신과 실행을 중시하는 선비가 만나 이룩한 새로운 인물이 새 시대를 열어야 한다. 그러나 지식인은 선비를 모르지만, 선비의 후예들은 근대 동안 지식인 훈련을 착실하게 해서 그 일을 잘할 수 있다.

<논어 성독>

士志於道而恥惡衣惡食者(사지어도이치악의악식자)는 : 선비가 도에 뜻을 두고 나쁜 옷이나 나쁜 밥을 부끄럽게 여기면,

未足與議也(미족여의야)니라 : 족히 더불어 도를 의논할 수 없느니라.《論語》, (里仁)

士不可以不弘毅(사불가이불홍의)니 : 선비는 마음이 넓고 뜻이 굳세지 않으면 안 되니
任重而道遠(임중이도원)이라 : 맡은 책임은 무겁고 갈 길은 멀다.
仁以爲己任(인이위기임)이니 : 인(仁)으로써 자기의 책임을 삼으니
不亦重乎(불역중호)아 : 또한 무겁지 아니한가?
死而後已(사이후이)니 : 죽어야 그 일이 끝나니
不亦遠乎(불역원호)아 : 또한 멀지 아니한가?
《論語》, (泰伯)

<訓讀>
恥부끄러울치, 弘넓을홍, 毅굳셀의, 任맡을임, 已마칠이

20. 백성이 귀하고 군주는 가벼운 물건이다

　　맹자는 공자보다 100여 년 뒷사람이라고 한다. 공자는 예수보다 대략 500살이 많으니, 맹자가 어느 시대에 살았는지 가늠할 수 있다. 이때 벌써 백성이 귀한 줄 알고 형편에 따라 군주는 얼마든지 바꿀 수 있는 가벼운 물건이라고 했다.

　　정도전은 귀양지에서 정몽주가 보낸 《맹자》를 읽고, 군주보다는 신료의 집단지성을 믿고, 신료가 백성을 위하는 나라, 조선을 설계하고 시공하다가 반대파에게 처형당했다.

　　공자는 패도(覇道)의 시대에 인의(仁義)를 말하다 배척당하고, 맹자는 군주의 지엄함이 넘치는 시대에 왕의 권위를 가벼이 보다가 홀대당하고, 정도전은 맹자의 뜻을 잇다가 죽임을 당했다.

　　그러나 역사는 당대에 거부당한 사상대로 흘러 오늘 찬바람에 촛불로 횃불로 거듭나고 있다. 촛불 민심 하나하나가 공자요, 맹자요, 정도전이 되어 시대를 밝히고 있다. 역사 시련은 가혹해 이런 일이 자주 일어나니 고전으로 정신을 단련할 수밖에!

<성독>
맹자 진심 하 14 中

孟子曰(맹자왈) : 맹자가 말하기를

民爲貴(민위귀)요 : 백성이 첫째로 귀하고
社稷次之(사직차지)요 : 사직은 그다음 귀하고
君爲輕(군위경)이라 : 임금은 아주 가벼운 물건이다.
是故(시고)로 : 이런 까닭으로
得乎丘民而爲天子(득호구민이위천자)요 : 일터에서 땀 흘려
일하는 백성의 마음을 얻으면 천자가 되고
得乎天子爲諸侯(득호천자위제후)요 : 천자의 마음을 얻으면
제후가 되고
得乎諸侯爲大夫(득호제후위대부)니라 : 제후의 신임을 받으
면 대부가 된다.
諸侯危社稷(제후위사직)이면 : 제후가 나라를 위태롭게 하면
則變置(즉변치)니라 : 곧바로 갈아치운다.

<낱말 풀이>
社稷(사직) : 토지신과 곡식 신은 국가 근간이므로 곧 '나
라'를 뜻한다.
丘民(구민) : '언덕 사람'으로 초야에서 일하며 사는 일반
백성들을 말한다.
變置(변치) : 책임을 다하지 못한 사람을 다른 사람으로 바
꾸어 놓는다는 뜻이다.

21. 하늘길과 사람 길

　　예나 이제나 권력은 윗사람의 신임으로 생긴다. 《중용》에 그 방법이 상세하게 나와 있다. 윗사람에게 신임받기 위해서는 친구와 믿음이 있어야 하고, 믿음직한 친구가 되기 위해서는 부모에게 인정받아야 하고, 믿음직한 자식이 되기 위해서는 성실해야 하고, 성실하기 위해서는 선행의 본질을 알아야 한다고 했다.

　　중용 20장은 '誠者(성자)'와 '誠之者(성지자)'를 대비시켜 '성자'는 성인의 경지이고, '성지자'는 사람이 가야 할 길이라고 한다. 사람이 붙잡고 놓지 않아야 할 정신자세를 다섯 가지로 들어, 박학, 심문, 신사, 명변, 독행이라 했다. 배우고, 묻고, 생각하고, 분별하고, 실행하라고 한다. '성(誠)'은 선행의 본질이고 '성지(誠之)'는 본질을 추구하는 노력이다.

<성독>

誠者(성자)는, 天之道也(천지도야)요。誠之者(성지자)는, 人之道也(인지도야)니라。誠者(성자)는, 不勉而中(불면이중)이요, 不思而得(불사이득)이요, 從容中道(종용중도)이니, 聖人也(성인야)라。誠之者(성지자)는, 擇善而固執之者也(택선이고집지자야)이니。博學之(박학지)하고, 審問之(심문지)하고, 愼思之(신사지)하고, 明辨之(명변지)하고, 篤行之(독행

지)하라。

<중용20장>

<해석>

성(誠)은 하늘의 도요, 성(誠)을 이루려고 노력하는 것은 사람의 도다. 성은 애쓰지 않아도 적중하고, 생각하지 않아도 터득하고, 조용히 있어도 도에 맞으니, 성인의 경지다. 학문에 뜻을 둔 사람이 성을 이루려고 노력하는 방법은 선(善)을 택해 굳게 잡고 나아가는 것이다. 그러기 위해서 널리 배우고(博學), 깊이 살펴 묻고(審問), 신중히 생각하고(愼思), 밝게 분별하고(明辨), 독실하게 실행(篤行)해야 한다.

<훈독>
勉힘쓸면, 審살필심,자세할심, 愼신중할신, 辨분별할변, 篤도타울독

22. 도(道)로 몸을 닦고, 인(仁)으로 길을 닦는다.

도올 김용옥은 《중용》의 무게가 팔만대장경과 근사하다고 했다. 그 분량으로 따져 대략 팔만분의 일일 텐데 사상의 무게가 대등하다고 하니 《중용》의 가치를 미루어 짐작할 수 있다. 《중용》 20장을 내리 훑어보자. '도(道)로 몸을 닦고, 인(仁)으로 길을 닦는다.'고 한다. '자연스러움으로 습관들이고 너그러움으로 규범을 만든다.'고 해석해 본다. 한없이 열린 고전은 우리 삶을 깊이 돌아보게 합니다.

<성독>

子曰(자왈) : 선생님께서 말씀하시기를
文武之政(문무지정)은 : 문왕과 무왕 같은 성인이 펼친 훌륭한 정치의 흔적은
布在方策(포재방책)이니 : 목판이나 죽간 같은 책에 많이 남아 있으니
其人存則其政擧(기인존즉기정거)하고 : 그런 가치를 이어갈 사람이 있으면 그 정치가 거행될 것이고
其人亡則其政息(기인무즉기정식)이라 : 그런 사람이 없으면 훌륭한 정치는 멈출 것이다. (亡＝無)

人道(인도)는 : 사람이 살아가는 도리는

敏政(민정)이요: 정치에 민감하게 나타나고

地道(지도)는 : 땅이 기름진가 척박한가는

敏樹(민수)이니 : 나무에 민감하게 나타나니

夫政也者(부정야자)는 : 무릇 정치의 효과는

蒲蘆也(포로야)라 : 물가의 부들과 갈대처럼 금방 나타난다.

故爲政在人(고위정재인)이요 : 그러므로 정치는 사람에게 달렸고

取人以身(취인이신)이요 : 훌륭한 인재를 취하기 위해서는 군주 자신이 사람다워야 하고

修身以道(수신이도)요 : 자기 몸을 닦는 것은 도로써 하고

修道以仁(수도이인)이니라 : 도는 너그러움으로 닦는다.

《중용》20장-1

23. 정치인과 공무원

　　공자 시대는 신분사회였기 때문에 천자와 가까운 친족들이 지배층을 이루어 다스렸다. 혈연의 친소에 따라 대접이 다른 것은 오늘날 시민의 사랑에 따라 정치인의 인기가 오르내리는 것과 견줄 수 있다.

　　현자는 오늘날로 치면 유능한 공무원이다. 능력에 따라 대우를 달리하여 적재적소에 인재를 배치한다는 말이다. 연이어 터지는 권력자들의 국정농단을 보며 정치인과 공무원의 뿌리를 고전에서 찾아보자. 근대가 자유민주라며 잘난 척하지만, 국민이 선거를 잘못해 위선자를 뽑으면 한동안은 꼼짝없이 당해야 하는 것이 맹점이다.

<성독>

仁者人也(인자인야)이니 : **너그러운 것은** 지도자(人)의 일이니
親親爲大(친친위대)요 : **친족을 가까이하는 것**이 중요하고
義者宜也(의자의야)이니 : **옳다는 것**은 마땅히 해야 하는 일이니
尊賢爲大(존현위대)니라 : **현명한 사람을 존중하는 것**이 중요하다.
親親之殺(친친지쇄)와 : 친족은 촌수에 따라 사랑에 차이를 두고
尊賢之等(존현지등)이 : 현자는 등급에 따라 존중에 차등을 두니
禮所生也(례소생야)라 : 여기서 예의가 나타난다.

《중용》20장-2

<훈독>
人은 지배자인, 民은 피지배자민
殺 : 감쇄할쇄, 덜어낼쇄, 혈연의 거리에 따라 대우를 낮추고
等 : 구별할등, 견주어볼등, 현명함의 등급에 따라 대우를 올리고

<덧붙임>

도올 김용옥의 해석을 덧붙이면, "인의 세계에 있어서는 가장 친근한 사람을 친하게 한다는 것이 중요합니다. 이 仁과 짝을 지어 생각해야 할 것이 義입니다. 義란 무엇일까요? 義는 발음 그대로 의宜입니다. 마땅함이지요. 의의 세계에 있어서는 현인賢人을 객관적으로 존중한다는 것이 중요합니다. 가까운 혈연을 친하게 함의 무등급성과 현인을 공적으로 존중함의 등급성, 이 양면성으로부터 禮라는 것이 생겨나는 것입니다."

<해석>

너그러운 것은 지도자(人)의 덕목이다. **친족을 가까이하는 것**이 중요하다. **옳다는 것**은 마땅히 해야 할 일이다. **현명한 사람을 존중하는 것**이 급선무다. 친족은 촌수에 따라 사랑에 차이를 두고, 현자는 등급에 따라 존중에 차등을 두니, 여기서 **예의**가 나타난다.

24. 예(禮)와 군자(君子)

　　　예(禮)는 친족 간에 거리와 현인의 등급에서 생긴다고 했다. 예(禮)는 군주의 큰 권력이고, 정치를 해서 나라를 편안하게 하는 방도다. 예(禮)가 질서라면 악(樂)은 조화다.

　　　군자(君子)는 군주의 임명을 받아 백성을 다스리는 지배층이다. 군자는 예로 다스리고 백성은 형벌로 다스린다고 했다. 군자는 예에 힘쓰는 자이고, 몸으로 일하는 자를 다스리는 마음이 수고로운 자이고, 세상을 바르게 하는데 힘쓰는 자이다. 예를 실현할 수 있는 능력을 기르기 위해 먼저 자기 몸을 닦아야 한다.

　　　군자가 예를 실현하기 위해 공부의 단계를 설정했다. 修身↔事親↔知人↔知天이다. 자신에서 친족으로 친족에서 사회로 사회에서 하늘로 나아간다. 하늘은 자연의 이치고 사람은 자연의 하나다.

　　　하늘은 있음(존재)의 근원이다. 노자에서 人法地, 地法天, 天法道, 道法自然이라 했다. 하늘은 제 길을 가고, 길은 있는 것들의 관계 속에서 자연스럽게 생긴다. 修身, 事親, 知人도 하늘 속에서 스스로 그렇게 이뤄진다.

[중용 성독]
故(고)로 君子(군자)는 : 그러므로 다스리는 사람인 군자는 예를 실현하기 위하여
不可以不修身(불가이불수신)이요 : 자기 몸을 닦지 않을 수

없고

思修身(사수신)이면 : 수신을 생각하면

不可以不事親(불가이불사친)이요 : 가히 어버이를 잘 섬기
지 않을 수 없고

思事親(사사친)이면 : 사친을 생각하면

不可以不知人(불가이불지인)이요 : 가히 사람을 잘 알지 않
을 수 없고

思知人(사지인)이면 : 사람 알기를 생각하면

不可以不知天(불가이불지천)이라 : 가히 존재의 근원인 하
늘을 잘 알지 않을 수 없다.

《중용》20장-3

25. 五達道와 三達德

　　군자(君子)는 지도자다. 지도자는 하늘을 알아야 한다. 하늘을 알기 위해 천문학자는 하늘을 보아야 하지만, 지도자는 하늘로 올린 시선을 다시 사람으로 향해야 한다. 人乃天이라 하지 않았는가.

　　누구나 가야 할 길을 달도(達道)라 하여 인간관계 다섯 가지를 말했다. 달덕(達德)은 사람이 마땅히 가져야 할 덕성이다. 전체를 파악하는 안목인 지혜, 힘껏 실행하는 능력인 어짊, 부끄러움을 알아 고쳐나가는 용기 이런 달덕으로 달도를 이루어야 한다. 달도의 관계에서 달덕의 덕성을 갖춰나가는 오직 하나의 원리가 정성(誠)이라 한다. 道五, 德三, 誠一의 짜임새가 오묘하다.

　　달도와 달덕은 숫자로는 간명한데 뜻은 모호하다. 해석 가능성이 열려 있어서 그런가? 오늘날 달도는 흐지부지하고, 달덕은 구태의연하지 않은가? 결혼 출산, 부부관계, 자녀 교육, 노인 문제, 다문화 가족 등은 달도의 재해석을 요구하고, 전체적인 앎을 추구하는 슬기, 복잡한 관계의 유연성, 참고 견디는 용기를 기르는 달덕이 교육의 주요 내용이 되어야 한다.

達道五↔達德三↔誠一

<중용> 성독

天下之達道五(천하지달도오)요 : 하늘 아래 모든 사람이 가지 않을 수 없는 길이 다섯이 있고,
所以行之者三(소이행지자삼)이니 : 그 길을 실천하게 하는 인간의 덕성은 셋이 있다.
曰君臣也,父子也,夫婦也,昆弟也,朋友之交也,五者(왈군신야,부자야,부부야,곤제야,붕우지교야,오자)가 : 임금과 신하의 길, 아버지와 자식의 길, 남편과 아내의 길, 형과 동생의 길, 친구 사이의 도리, 이 다섯이
天下之達道也(천하지달도야)라 : 천하의 달도이다.
智仁勇三者(지인용삼자)가 : 지혜, 어짊, 용기가
天下之達德也(천하지달덕야)이니 : 하늘 아래 모든 사람이 이루지 않을 수 없는 덕성이니,
所以行之者一也(소이행지자일야)니라 : 이것을 이루게 하는 것은 오직 하나(誠)이다.

<다양한 해석>

*所以行之者三 : ①달도 다섯 가지를 이루려면 달덕 세 가지가 꼭 필요하다. ②달도 다섯 가지로 달덕 세 가지를 이루어야 한다.
*所以行之者一也 : ①달덕 세 가지를 이루기 위해 정성(誠) 한 가지가 꼭 필요하다. ②달덕 세 가지로 정성(誠) 한 가지를 이루어야 한다.
《중용》20장-4

26. 거듭 노력하라

　　백곡 김득신(1604-1684)은 늦된 아이였다. 10세에 겨우 글을 깨치고 20세에 비로소 글 한 편을 짓고 59세에 과거 급제했다. 그 뒤 한시에서 독자적인 작품세계를 이루었다. 아버지는 많이 늦은 아들에게 중용의 가치를 일깨워 주었다. 1만 번 이상 반복해 읽은 글이 36종류나 된다.

　　김득신은 옛글 36편 읽은 횟수를 '고문삼육수독수기(古文三六首讀數記)'에 기록했다. 1만 번에 미치지 못하면 애당초 기록하지 않았다. 《사기(史記)》의 '백이전(伯夷傳)'을 무려 1억 1만 3000번 읽었다. 한유의 '사설(師說)'을 1만 3000번, '악어문(鰐魚文)'은 1만 4000번, '노자전(老子傳)'은 2만 번, '능허대기(凌虛臺記)'를 2만 500번이나 읽었다. 정약용(1762~1836)은 "문자가 만들어진 이래 종횡으로 수천 년과 3만 리를 다 뒤져도 대단한 독서가는 김득신이 으뜸"이라고 평했다. (여기서 1억은 10만을 뜻함).

　　고생 고생해서 아는 데 이르고, 노력 노력해서 실행에 옮겨 아둔함을 이겨내 지행합일의 높은 경지에 다다랐다. 빨리 많이 알아 일등에서 꼴등까지 줄을 세우는 근대교육은 어떤가? 김득신의 아버지는 한 아이도 놓치지 않는 모범을 일찍 보여주었다.

<중용 성독>

或生而知之(혹생이지지)하고 : 혹은 날 때부터 알고
或學而知之(혹학이지지)하고 : 혹은 부지런히 배워서 알고
或困而知之(혹곤이지지)하니 : 혹은 아주 수고롭게 노력해서 아니
及其知之一也(급기지지일야)니라 : 그 아는데 이르러서는 한 가지라.
或安而行之(혹안이행지)하고 : 혹은 편안히 자연스럽게 실천하고
或利而行之(혹이이행지)하고 : 혹은 그것을 하니 이로워서 선뜻 실천하고
或勉强而行之(혹면강이행지)하니 : 혹은 억지로라도 힘써서 실천하니
及其成功一也(급기성공일야)니라 : 그 실천해서 이룬 공은 같으니라.
《중용》20장-5

27. 백번 천번 반복하라

　　유교의 선각자는 말은 쉬우나 실천하기 어려운 가르침을 폈다. 후생은 성인의 말씀을 금과옥조처럼 여기며 살아가는 지침으로 삼았다. '食無求飽 居無求安(배부르게 먹지 말고, 편안하게 눕지 마라)'이 말은 쉬우나 실천하기 어렵다.
　　중용에서도 학문, 질문, 생각, 변별, 실행을 안 했으면 안 했지, 일단 시작했으면 끝을 보아야 한다고 힘주어 말한다. 남보다 백배 천배 더 노력하기를 간곡하게 당부한다.

<중용성독>

有弗學(유불학)이언정 學之(학지)인댄 弗能(불능)이면 弗措也(부조야)하며, 有弗問(유불문)이언정 問之(문지)인댄 弗知(부지)이면 弗措也(부조야)하며, 有弗思(유불사)이언정 思之(사지)인댄 弗得(부득)이면 弗措也(부조야)하며 有弗辨(유불변)이언정 辨之(변지)인댄 弗明(불명)이면 弗措也(부조야)하며, 有弗行(유불행)이언정 行之(행지)인댄 弗篤(부독)이면 弗措也(부조야)하야 人一能之(인일능지)어든 己百之(기백지)하고 人十能之(인십능지)어든 己千之(기천지)하라
《중용》20장-6

<뜻풀이>

배우지 않을지언정 배울진대 능하지 않으면 그만두지 말며, 묻지 않을지언정 물을진대 알지 못하면 그만두지 말며, 생각하지 않을지언정 생각할진대 얻음이 없으면 그만두지 말며, 분별하지 않음이 있을지언정 분별할진대 환하게 밝히지 못하면 그만두지 말며, 행하지 않을지언정 행할진대 돈독하게 실천하지 않으면 그만두지 않아, 남들이 한 번에 능하거든 나는 백번을 하며, 남들이 열 번에 능하거든 나는 천 번을 하리라.

<訓讀>
弗아니불, 措그만둘조, 人다른사람인, 己자기기

28. 밝고 굳센 사람으로

《중용》20장의 결론이 우리를 숙연하게 한다. 맹자는 하늘이 장차 이 사람에게 큰 임무를 맡기기 전에 크나큰 고통을 내린다고 했다. 다른 사람이 한 번에 할 수 있는 일을 나는 100번 1000번 해야 한다면 이 고통은 참으로 막대하다.《중용》20장과 맹자의 말씀을 연결하니 울림이 크다.

<중용 성독>
人一能之(인일능지)이면 : 다른 사람이 한 번에 능히 할 수 있으면
己百之(기백지)하고 : 자기는 그것을 백 번 연습하여 해내고
人十能之(인십능지)이면 : 다른 사람이 열 번에 능히 할 수 있으면
己千之(기천지)하라 : 자기는 그것을 천 번 연습하여 해내라.
果能此道矣(과능차도의)면 : 능히 이 길을 과감하게 나아가면
雖愚(수우)라도 : 비록 어리석은 사람이라도
必明(필명)하고 : 반드시 어리석음에서 벗어나 밝은 사람이 되고
雖柔(수유)라도 : 비록 여린 사람이라도
必强(필강)하리라 : 반드시 유약함에서 벗어나 굳센 사람이 되리라.
《중용》20장-7(끝)

29. 한시로 한문 공부 입문하기

한시 읊기

　　지난해 조동일 교수가 울산에 와서 '동아시아인이 되자!'라는 제목으로 강연했다. 근대는 유럽이 앞서고 근대 다음 시대는 동아시아가 열어야 하는데 '國小學大'인 우리가 그 일을 가장 잘할 수 있다고 하며, 한문을 공부해 고급 중국어, 일본어, 한국어를 구사하는 인재를 길러야 한다고 교사와 학부모에게 당부했다. 한문의 난해, 무용, 시대착오 등을 들며 다양한 감정이 섞인 반론도 만만치 않아, 한문교육 대중화의 어려움을 실감했다. 학생보다 일부 교사의 반감이 격했다.

　　이제 세상이 바뀌어 '같은 내용을 모두가 공부하는 교육'은 막을 내려야 한다. 한문도 공부하기를 원하는 사람에게 정통공부법을 제공해 능력 계발의 기회를 살려주어야 한다. "조상 전래로 해온 공부인데, 오늘날 우리가 못한다면 말이 되는가? 원효스님, 을지문덕장군, 세종대왕, 이순신장군이 하고, 퇴계, 율곡, 다산, 연암이 한 공부를 우리도 열심히 하면 되지 않을까? 해보지도 않고 지레 겁먹고 도망가면 되겠는가?"

　　한문 공부 입문으로 한시 읊기가 최선이다. 공부 순서는 다음과 같다. 한시를 동시처럼 번역하여 아이들도 쉽게 감상할 수 있게 만든 '한시 동시'로 한문 공부에 들어가자. ①'한시동시'를 충분히 감상한다. 더 깊이 감상하기 위해 연극을 만들어 공연할 수도 있다.

②‘글자풀이’인 <훈독>을 할 차례이다. 예부터 “하늘천, 따지, 검을현, 누루황” 해오고, “바둑아 바둑아, 철수야 영희야” 해온 풍월 읊기 전통이 있어서 재미나게 큰 소리로 읊을 수 있다. 같이 읊고 남녀가 돌아가며 읊고 목청껏 소리치면서 울림이 큰 공부를 경험하자.

③‘글귀풀이’에서 한문 해석의 기초를 다질 수 있다. 우리말 어순과 다른 한문 문장을 보며 사고와 표현의 깊이, 넓이, 무게 등을 견주어 볼 수 있다.

④‘한시읊기’에서 한시 원문을 읊으며 전통을 잇는 정통공부법을 오늘날 제대로 재현할 수 있다.

①‘한시동시’ 읊기와 감상→②‘글자풀이’→③‘글귀풀이’→④‘한시 읊기’ 순서로 실제 학습해 보자.

①한시동시 읊기와 감상

　말썽꾸러기
　　　　　정만화(1614-1669)

어느 집에
말썽꾸러기가 살았는데요.
나이가
이제 겨우 열한 살이래요.
사람 됨됨이가
우뚝!
시원시원하게 좋아서요.

보는 사람마다
앞으로 큰 사람 되겠대요.

②글자풀이

狂말썽피울광, 童아이동, 鄭성정, 萬일만만, 和부드러울화,
一한일, 家집가, 有있을유, 狂미칠광, 童아이동, 年나이년, 將
겨우장, 十열십, 一한일, 歲해세, 然그럴연, 獨우뚝독, 어찌독,
八여덟팔, 字글자자, 好좋을호, 人사람인, 皆다개, 曰말할왈,
爲될위, 相정승상, 서로상

③글귀풀이

狂童: 까부는 아이, 말썽꾸러기
鄭萬和: 가화만사성, 세상만물을 화평하게 하라
一家: 한 집에, 어던 집에
有狂童: 말썽꾸러기가 있으니
年將: 나이 이제 겨우
十一歲: 11세라
然獨: 그러나 홀로 우뚝
八字好: 팔자가 좋아서, 사람 됨됨이가 좋아서, 살아가는 태
도가 씩씩하여
人皆: 사람들이 모두
曰爲相: 말하기를 재상이 되겠다고 한다.

④한시 읊기

狂童이라
　　　　鄭萬和라
一家有狂童하니
年將十一歲를
然獨八字好하여
人皆曰爲相을

　　　한시 한편 공부에 한문 공부 방법이 다 들어 있다. 한시와 경전을 읊고 성독하며 뜻을 새기는 것이 한문 공부법의 전부다. 이렇게 읽다가 문리가 터지고 5자, 7자 '글자놓기'를 하여 한시를 짓고, 한문 작문에 도전한다. 한문 능력을 갖추어 동아시아 한국, 중국, 일본, 월남의 지식인은 한시를 써서 정감을 나누고, 논문을 써서 학술을 교류한다. 동아시아인이 고루 한문을 잘할 때 동아시아의 평화가 달성되고, 인류 화합의 토대가 다져질 것이다.

30. 우리 문학사에 처음 오른 한시

그 시가 바로 을지문덕의 '여수장우중문시'다. 612년 경의 작품으로 지금 남아 있는 최초의 한시다. 고려후기 이 규보는 <백운소설>에서 "글 지은 법이 기이하고 고고하며, 화려하게 아로새기거나 꾸미는 버릇이 없으니, 어찌 후세의 졸렬한 문체로써 미칠 수 있겠는가?" 했다. 아직 중국에서 근체시가 생겨나지 않은 시기에 짜임새를 잘 갖춘 5언시의 본보기를 보여주었다. 우리 한문학이 모화적인 기풍과 함께 자리 잡은 것이 아니었다. 침략자와 당당하게 맞서 이겨낸 장수의 이런 시에서 자주적 기상을 살리는 한문학이 계속 나올 가능성을 찾을 수 있다. (《한국문학통사1》,조동일,지식 산업사, 124, 270쪽 참고)

더 놀라운 것은 이런 한시를 초등학생도 즐겨 읊고 연극으로 꾸며 감상의 재미와 깊이를 더할 수 있다는 것이 다. 시를 직역하지 않고 의역하여 현대적 동시로 풀고, 시가 나온 역사 배경을 바탕으로 이야기로 만들고, 전통대로 한시 읊는 법을 살려 오늘날 학교 교육에서 되살릴 수 있다. 한시 한 편으로 문학과 역사와 예술을 공부할 수 있다.

[한시동시]

수나라 장수 우중문에게 주는 시

을지문덕

꾀는/ 하늘/ 귀신보다/ 더 많고
싸움은 /땅/ 도깨비보다/ 더 잘하여
전쟁에서/ 이미/ 여러 차례/ 이겼으니
그쯤에서/ 만족하고/ 그만두기/ 바라노라.

[한시읊기]

與隋將于仲文詩라
乙支文德이라
神策究天文하고
妙算窮地理를
戰勝功旣高하니
知足願云止를

[글자풀이]
與줄여, 隋수나라수, 將장수장, 于말도울우, 仲버금중, 文글

월문, 詩시시, 乙새을, 支가를지, 文글월문, 德은혜덕,사랑덕, 神귀신신, 策꾀책, 究연구할구, 天하늘천, 文글월문, 妙묘할묘, 算계산산, 窮다할궁, 地땅지, 理이치이, 戰싸울전, 勝이길승, 功공로공, 旣이미기, 高높을고, 知알지, 足만족할족, 願원할원, 云이를운, 止그칠지

[글귀풀이]

與隋將于仲文詩: 수나라 장수 우중문에게 주는 시

乙支文德: 글로써 은혜를 베풀어라

神策: 귀신 같은 꾀로

究天文: 하늘의 뜻을 짐작하고

妙算: 기발한 생각으로

窮地理: 땅의 이치를 다 알다

戰勝: 전쟁에서 이겨

功旣高: 공로가 이미 높으니

知足: 만족할 줄 알고

願云止: 이제 그만 그치기를 바라노라

31. 구언전지(求言傳旨)-1

　　　미세먼지와 황사가 심하다. 지나친 자연 개발과 파괴로 인류가 자초한 것이다. 지금보다 자연환경이 잘 보존되었던 중세에는 지진과 흙비 같은 재변(災變)을 어떻게 보았을까?

　　　하늘의 이치와 사람의 도리를 하나로 보고, 최고 통치자의 허물 때문에 자연재해가 일어난다고 보았다. 그 허물을 조목조목 따져서 자기를 돌아보는 계기와, 정치를 혁신하는 기회로 삼았다. 성종 대왕의 '구언전지'를 한 편 읽어보자.

* 구언전지(求言傳旨) : 나라에 재변(災變)이 생기거나 큰일이 있을 때 신하나 사림(士林)에게 솔직한 의견을 구하는 전교(傳敎)
* 傳敎 : 임금이 명령을 내림

<성독>

傳旨議政府曰(전지의정부왈): 의정부에 임금의 뜻을 전하여 말씀하시기를
天人一理(천인일리)로 : 하늘이 운행하고 사람이 살아가는 이치는 같아서
顯微無間(현미무간)하여 : 겉으로 드러난 자연 현상과 속에 감춰진 사람의 마음 사이에는 간격이 없어서
休咎之應(휴구지응)은 : 자연에 나타나는 좋고 나쁜 반응은

惟人所感(유인소감)이라 : 오로지 백성들이 느끼는 바라
予以寡昧(여이과매)로 : 식견이 모자라고 총명이 어두운 내가
臨莅一國(임리일국)에 : 한 나라를 맡아 다스리며(臨임할임, 莅왕으로임할리)
夙夜祗勤(숙야지근)하나 : 일찍부터 밤늦게까지 공경하고 삼가는 마음으로 일을 하나
恐不克負荷(공불극부하)라 : 나라를 다스리는 부담감을 이기지 못할까 두렵구나.
前月地震(전월지진)과 : 지난달의 지진과
今月雨土(금월우토)로 : 이번 달의 흙비로
災變之來(재변지래)하니 : 재앙과 변고가 닥쳐오니
豈無所김(기무소소)?아 : 어찌 재앙을 불러들인 까닭이 없겠는가?
『성종실록』9년 4월 1일(임진)
(계속)

<뜻풀이>

旨뜻지, 聖旨(성지): 임금의 뜻,
傳旨(전지): 임금의 명을 관아에 전달함
休咎(휴구): 길흉, 선악
寡昧(과매): 과인, 부족하고 어두운 자신,
臨莅(임리)臨다다를임,莅다다릴리, 왕으로써 임하다.
祗勤(지근)공경지, 삼갈근

夙夜(숙야)일찍숙, 밤야
負荷(負질부,荷짐하): 왕의 임무
所召(所바소,召부를소): 재앙을 부른 까닭

32. 구언전지(求言傳旨)-2

* 구언전지(求言傳旨) : 나라에 재변(災變)이 생기거나 큰일이 있을 때 신하나 사림(士林)에게 솔직한 의견을 구하는 전교(傳敎)이다.
* 傳敎임금이 명령을 내림

<성독>

予未知(여미지)라 : (재앙이 일어난 까닭을) 나는 알지 못하겠노라

賦斂重歟(부렴중여)아 : 나라에서 세금을 무겁게 거두는가?

工役煩歟(공역번여)아 : 백성을 부리는 일이 번거로운가?

刑罰不中歟(형벌불중여)아 : 형벌에 형평이 맞지 않은가?

用舍失當歟(용사실당여)아 : 인재를 쓰고 버리는 일이 정당하지 않은가?

賢俊或遺逸歟(현준혹유일여)아 : 어질고 뛰어난 인물을 혹 들어 쓰지 않고 있는가?

婚嫁或失時歟(혼가혹실시여)아 : 혼기를 놓쳐 시집 장가가는 인륜지대사에 차질이 있는가?

守令之貪酷甚而監司之黜陟或謬歟(수령지탐혹심이감사지출척혹류여)아 : 수령들의 탐욕이 심하게 독한데도, 감사는 못된 사람 내쫓고 훌륭한 사람 들어 쓰는 일을 잘못하고 있는가?

民不堪其苦而下情不得上通歟(민불감기고이하정부득상통여)

아 : 백성들이 그 고통을 이겨내지 못하고 있는데도 아랫사람들의 불만이 윗사람에게 전달되지 않고 있는가?

深惟獲戾之由(심유획려지유)하니 : 깊이 허물을 얻은 까닭을 생각해 보니

咎實在予(구실재여)라 : 허물이 실제로 나에게 있구나

欲聞直言以答天譴(욕문직언이답천견)하니 : 너희들의 직언을 듣고 하늘의 꾸짖음에 답하고자 하니

其中外大小臣僚以至閭巷小民(기중외대소신료이지려항소민)은 : 그 중앙과 외직의 대소 신료들과 심지어 마을의 백성들까지

體予至懷(체여지회)하여 : (나라의 어려움을 극복하고자 하는) 나의 지극한 마음을 본받아

致災之由(치재지유)와 : 재앙이 일어난 까닭과

弭災之方(미재지방)을 : 재앙을 그치게 할 방도를

悉陳無隱(실진무은)하라 : 낱낱이 밝히고 하나도 숨기지 말라

『성종실록』 9년 4월 1일(임진)

<글자풀이>

賦조세부, 斂거둘렴, 工일공, 役부릴역, 賢어질현, 俊뛰어난 인물준, 遺잃을유, 逸잃을일 ,婚혼인할혼, 嫁시집갈가, 貪탐욕탐, 酷독할혹, 黜물리칠출, 陟들어올릴척, 獲얻을획, 戾허물려, 譴꾸짖을견, 閭마을여, 巷마을항, 懷마음회, 弭그칠미, 悉다실, 陳펼진, 隱숨길은, 小民상사람,보통사람,

33. 부처 이마 암자에서

　　적폐를 청산하기 위한 대선 투표를 했다. 시작부터 줄을 설 정도로 열기가 넘친다. 투표하고 나오는데 어떤 사람이 "이제 기분이 날아갈 것 같지요?" 했다. 자기도 그렇고 나도 그렇게 보인다는 말이리라.

　　이럴 때는 기분에 걸맞는 시를 읊어야 한다. 사명당(四溟堂)이라는 호로 더 알려진 유정(惟政)은 임진왜란 때 크게 활약하고, 그 뒤에도 계속 어려운 과제를 맡아 일본을 왕래했다. 그 과정에서 경험한 바를 시문으로 나타냈다. 시는 막힐 것이 없는 기상을 나타내는 것을 특징으로 삼았다.

　　부처 이마라는 암자에서 자고 일어났다. 밤 동인 줄곧 바다에 비가 내리는 것으로 시련을 암시했지만, 그다음 대목에서는 모든 문제가 해결되고 탁 트인 공간을 빛과 율동이 가득 채운다. 그것은 번민하고 고난을 겪은 끝에 마침내 깨달은 사람만 한 아름 안을 수 있는 부처 이마의 빛이라 해도 좋다. 가능성과 희망만 넘치니 세상에 나가 크나큰 과업을 아무 구김살 없이 이룩할 수 있었다. (《한국문학통사3》, 조동일,406쪽 참고)

　　이제 새로운 대통령은 촛불 시민의 여망(輿望)과 격려(激勵)를 희망과 가능성으로 삼아 나라를 바로 세우고 세계 문화를 선도해야 할 것이다. 문재인 대통령 때 일이다.

　　그런데 검사 출신 대통령이 들어서서 나라가 하루아

침에 후진국으로 떨어졌다. 지금 집권 2년 차인데 군사, 정치, 경제, 예술, 학문에서 곤두박질치고 있다. 대통령 본인, 부인, 장모의 비리와 범죄가 낱낱이 드러나며 탄핵하지 않으면 나라가 위태로울 지경이다. 앞 어느 정권보다 더 무능하고 더 야비한 것이 아닌가?

대명천지에 무속이 국정에 깊이 관여한 점도 역사의 불운과 이어진다. 정치 변동에 국민이 일희일비하지 않으려면 학문, 예술, 경제, 정치, 군사의 순서로 창조주권을 발현해 내면의 기쁨을 누려야 한다. 깨어 있는 국민은 언제나 능력 있는 봉사자를 정치인으로 키워서 부려야 한다.

<한시 읊기>

宿佛頂庵(숙불정암)이라
　　　　　　惟政(유정)이라

海雨夜宴宴(해우야연언)터니
朝晴出白日(조청출백일)을
高臺坐望遙(고대좌망요)하니
蕩蕩滄溟滴(탕탕창명적)을
何處是扶桑(하처시부상)인고
鵬度長天濶(붕도장천활)을

<한자 훈독>

宿잠잘숙, 佛부처불, 頂이마정, 庵암자암, 惟생각할유, 政정
사정, 四넉사, 溟바다명, 堂집당, 海바다해, 雨비우, 夜밤야,
宴비가줄곧내릴연, 朝아침조, 晴갤청, 出날출, 白흰백, 日해
일, 高높을고, 臺누대대, 坐앉을좌, 望바랄망, 遙멀요, 蕩출렁
일탕, 滄푸를창, 溟어두울명, 滴물방울적, 何어느하, 處곳처,
是이시, 扶도울부, 桑뽕나무상, 鵬붕새붕, 度건널도, 長길장,
天하늘천, 濶트일활

<글귀 풀이>

宴宴: 줄줄 비가 내리다

坐望遙: 앉아서 멀리 바라보니

滄溟滴: 푸른 바닷물, 바다 물결

扶桑: 해가 뜬다는 동쪽 바다 뽕나무

長天濶: 길게 훤히 트인 하늘

<한시 번역>

부처 이마 암자에서

　　　　　　　사명당(1544-1610)

바다 비가 밤새 내리더니
아침에 날 개자 밝은 해가 떠오르네.
높다란 집에 올라 멀리 바라보니
바닷물이 끝없이 출렁이누나.
아, 어디가 해 뜨는 곳이더냐.
붕새가 하늘 높이 훨훨 날아가네.

34. 정치 변동에 일희일비하지 않으려면

촛불혁명으로 새 대통령이 들어섰다. 법이나 제도를 별반 고치지 않고 오로지 사람 하나 바뀌었는데 이렇게 나라가 발전하다니! 자고 일어나니 선진국이 되었다. 유순한 용모와 부드러운 인품으로 사람이 먼저라는 구호를 외쳤다. 그런데 그 안에서 암 덩어리가 자라고 있을 줄이야! 순하기만 하고 위엄이 부족해 정치검찰의 발호를 제어하지 못한 일은 비판을 피할 수 없다.

또 바뀌어 정치검찰 출신 새 대통령이 들어선 지 2년도 안 되어 나라가 나락으로 떨어지고 있다. 민생이 파탄 나고, 외교가 무너지고, 정치가 실종되고, 주요 국정 수행에 무속의 입김이 어른거린다. 자고 일어나니 도로 후진국이 되었다. 정치검찰의 무능, 무지, 사악함이 만천하에 드러났다. 암 덩어리 도려내고 민족정기 바로 세워야 한다.

다음 대통령은 지금부터 국민이 키워야 한다. 유능하고 윤리적인 사람을 양육하고 훈련 시켜서 국민의 봉사자로 세워야 한다. 얄궂은 정치 변동에 일희일비하지 않으려면 깨어 있는 국민이 정치를 바꿔야 한다. 학문, 예술, 경제, 정치, 군사의 순서로 국민 각자가 타고난 창조 주권을 발현하면 그럴 수 있다.

정도전 선생은 새로운 국가를 설계한 사람이다. 그 이론과 실천은 지속적인 의의가 있다. 《삼봉집》12, <議論>편은 《주역》에서 人君의 도리를 다룬 몇 편을 소개하고 있다.

사람이 중요하다는 생각은 《주역》이 나온 고대에서 오늘날까지 변하지 않는 진리이다.

<성독과 뜻풀이>

人君孚信以接下(인군부신이접하)하고: 인군은 믿음으로써 아랫사람을 접하고

又有威嚴(우유위엄)하여: 또한 위엄이 있어

使之有畏(사지유외)하라: 백성이 공경하고 두려워하게 해야 한다.

大有六五(대유륙오)에: 주역 대유괘(大有卦)의 육오(六五) 효사에,

厥孚交如威如吉(궐부교여위여길)하리라: '그 믿음으로 사귀고 위엄 있어야 길하리라.' 하였다. (厥그궐,孚미쁠부,믿음부)

人君執柔守中(인군집유수중)하며: 인군이 유순하게 하되 중(中)을 지키며

而以孚信接於下(이이부신접어하)하면: 믿음으로 아랫사람을 접하면

則下亦盡其誠信以事於上(즉하역진기성신이사어상)하여: 아랫사람 역시 그의 정성과 신의를 다하여 위를 섬기어,

上下孚信相交也(상하부신상교야)라: 위아래가 서로 믿음으로 사귀게 되는 것이다.

以柔居尊位(이유거존위)하다가: 유순한 마음으로 높은 자리에 있다가

當大有之時(당대유지시)하여: 태평하여 광명이 멀리 뻗어나가는 대유 시절을 맞이하여

人心安易(인심안이)한데: 인심이 편안해졌는데,

若專尙柔順則陵慢生矣(약전상유순즉릉만생의)하니: 만약 오로지 유순함만 숭상하면 능멸과 오만이 생기게 된다.

故必威如則吉(고필위여즉길)하리라: 그러므로 반드시 위엄 있게 하여야 길하리라.

35. 스승을 신하로

　　'人事가 萬事다'는 평범한 진리다. 문재인 정부는 앞 대통령이 탄핵으로 물러나고 다급하게 정부를 꾸렸다. 발 빠르게 인재를 적재적소에 배치하여 기대를 모았다. 그러나 아무리 훌륭한 정치를 하려고 해도 사람 하나 잘못 쓰면 역사에 큰 오점을 남기게 된다.

　　지금 정치검찰의 난동은 그때 싹이 텄다. 검사 출신 대통령은 너무나도 자기 같은 사람이나 자기보다 못난 사람을 골라 요직에 알알이 박아 넣었다. 면면이 주옥같다. 모자라거나 흠결이 있어 마구 부려도 맹종한다. 이런 상황에서 아주 꿈같은 이야기를 맹자가 들려주신다. 맹자가 말한 왕과 신하의 관계는 절묘하다. 다음 시대 대통령과 고위 관료의 관계가 이렇게 될 것을 기대한다.

[맹자 성독]
故湯之於伊尹(고탕지어이윤)에 : 그래서 탕 임금이 이윤을 대할 때
學焉而後臣之(학언이후신지)하여 : 그에게서 배우고 난 뒤에 그 사람을 신하로 삼으니
故不勞而王(고불로이왕)하고 : 힘들이지 않고 천하에 왕 노릇을 할 수 있었고
桓公之於管仲(환공지어관중)에 : 제환공이 관중을 대할 때
學焉而後臣之(학언이후신지)하여 : 그에게서 배우고 난 뒤

에 그 사람을 신하로 삼으니

故不勞而霸(고불로이패)하고 : 힘들이지 않고 제후의 으뜸이
될 수 있었다.

今天下 **地醜德齊**(금천하지추덕제)하여 : 지금 천하 나라들이
땅 넓이가 비슷비슷하고, 임금의 덕성이 고만고만하여(醜비
슷할추,齊같을제)

莫能相尙(막능상상)은 : 능히 서로 우월한 것이 없는 까닭은
(尙높일상)

無他(무타)요 : 다른 이유가 없고,

好臣其所敎(호신기소교)요 : 자기가 가르친 사람을 신하로
삼기 좋아하고(다루기 쉬운 사람을 신하로 삼고)

而不好臣其所受敎(이불호신기소수교)니라 : 자기가 가르침
을 받아야 할 사람을 신하로 삼기 좋아하지 않기 때문이다.
(배우고 존경해야 할 사람을 신하로 삼지 않는다.)

<공손추,하,제2장>

[구절 풀이]

學焉而後臣之: 이 사람(焉)한테서 배운 뒤에 이 사람(之)을
신하로 삼다.

不勞而王: 힘들이지 않고 인정을 베푸는 성왕이 된다.

不勞而霸: 손쉽게 권모술수 써서 제후의 으뜸이 된다.

地醜德齊: 국토의 크기가 비슷하고(醜) 임금의 덕이 고만고
만하다(齊).

莫能相尙: 능히 서로 우월하다 할 수 없는 것은

其所敎: 그가 가르친(敎) 사람을(所)

其所受敎: 그가 가르침(敎) 받은(受) 사람을(所)

36. 흐르는 것은 저 물과 같아

　　사대강사업이 논란이 많았다. 다른 정권이 들어서서 "보를 열어라"와 "물 관리는 환경부에서 하라"가 '신의 한 수'라고 했다. 녹조가 생기는 원인을 밝혀내고, 국토 개발과 관련된 해묵은 비리를 밝힐 수 있어 그렇다는 것이다.

　　권력을 잡고 백성보다는 제 이익을 앞세웠던 고려 말과 조선말의 권귀(權貴)들이 지금도 있다. 촛불혁명으로 열린 후기 대한민국에서 적폐 청산 대상이 되었다. 그러나 또 숨은 적폐들이 갖가지 속임수와 야비한 법 기술로 국민을 속이고 권력을 잡아 그때 그 사람들을 다시 불러들이고 있다.

　　물이 쉬지 않고 흘러가듯 적폐도 뿌리 뽑지 않으면 계속 횡행한다. 쉬지 않고 흘러가는 것의 대표가 물이다. 성현은 물을 보고 큰 깨달음을 얻었다. 우리도 물처럼 깨어나 더러움을 씻어내고, 부족한 것을 채우고, 마르면 적셔서 만물을 살리는 주체가 되어야 한다.

[논어집주 성독]

子在川上曰(자재천상왈): 선생님께서 물가에 서서 말씀하시기를
逝者如斯夫(서자여사부)인저: 흘러가는 것이 저 물과 같구나!
不舍晝夜(불사주야)로다: 밤낮으로 쉬지 않도다.

日往則月來(일왕즉월래)하고: [**주자집주**] 해가 지면 달이 뜨고

寒往則暑來(한왕즉서래)하듯: 추위가 가면 더위가 오듯

水流而不息(수류이불식)이요: 물은 흘러 쉬지 않고

運乎晝夜(운호주야)하여: 밤낮으로 운행하여

未嘗已也(미상이야)니라: 일찍이 그친 적이 없도다.

是以君子法之(시이군자법지)하여: 그래서 군자가 이것을 본받아

自强不息(자강불식)하노라: 스스로 힘쓰기를 한 순간도 멈추지 않는다. (자한 16장)

37. 하필이면 이익을 말하십니까?

　《맹자》 첫머리에 利와 仁義가 대립한다. 왕은 '정치적 사익'을 들먹이는데, 맹자는 다만 '문화적 인의'가 우선이라고 역설하는 모양이다. 춘추전국 약육강식 혼란한 시기에 맹자의 이상주의는 우활한 것 같으나, 긴 호흡으로 역사를 보라는 깨우침이다.

　　어떤 시대든지 이익을 탐하는 무리가 있지 않은가? 지금 우리의 안타까운 현실은 권력자들이 연이어 사익을 추구하다가 법의 심판을 받고, 그것을 뻔히 보고도 또 저지른다는 것이다. 심지어 자기가 수사한 범죄자들을 다시 기용해 현실 법과 역사를 깡그리 무시하는 참담함에 국민은 한순간 잘못된 선택을 뼈저리게 반성하고 있다.

　　재벌은 자기 방식으로 이익을 추구하고, 국정 농단자들은 제멋대로 사익을 챙기고, 극단주의자들은 제 꾀대로 이익을 탐한다. 앞으로 국정 담당자는 권력자가 아니라 봉사자가 되도록 국민이 만들어야 한다. 그 지침은 인의이다. 인(仁)은 약자에 대한 배려이고, 의(義)는 공정한 사회를 이룩하는 것이다.

[맹자성독]

孟子見梁惠王(맹자견양혜왕)하신대 : 맹자가 양나라 혜왕을 뵙는데
王曰(왕왈) 叟不遠千里而來(수,불원천리이래)하시니 : 왕이

말하기를 "어르신께서 천리를 멀다 않고 우리나라에 오셨는
데,

亦將有以利吾國乎(역장유이리오국호)잇가 : 또한 앞으로 우
리나라를 이롭게 할 방도가 있습니까?"

孟子對曰(맹자대왈) 王(왕)은 何必曰利(하필왈리)잇고 : 맹
자가 대답하기를 "왕은 하필이면 사사로운 이익을 따지십니
까.

亦有仁義而已矣(역유인의이이의)니이다 : 또한 '어진 마음
씨'와 '정의로운 태도'가 있을 따름입니다.

王曰何以利吾國(왕왈하이리오국고)하시면 : 왕이 자기 나라
의 이익만 추구하면

大夫曰何以利吾家(대부왈하이리오가)오하며 : 대부는 자기
집안의 이익만 추구하고

士庶人曰何以利吾身(사서인왈하이리오신)고하여 : 일반인들
은 자기 자신의 이익만 추구하여

上下交征利(상하교정리)면 : 이렇게 위아래 사람들이 서로
자기의 이익만 챙기려고 다툰다면

而國(이국)이 危矣(위의)리이다 : 나라가 위태로워질 것입니
다."

*(叟늙은이수,어른수)
*(以써이 : 방도(方道))
*(亦다만역, 已:따름이)
*(征취할정)

38. 만물 만생이 대등하다

　　17-19세기는 중세에서 근대로의 이행기다. 중세보편주의 사상이 평등주의와 민족주의로 넘어가는 시기다. 이때 한국과 일본은 각자의 장기로 경쟁했다. 한국은 이치의 근본을 따져 철학 하는 열기나 성과에서 앞서고, 일본은 대도시의 경제적 번영을 이룩하는데 앞섰다.

　　한국의 '기철학'이 어떻게 확립되었을까? 중세 이원론을 이룩한 朱熹는 말했다. "人은 바른 氣를 받아 理가 통하고 막힘이 없고, 物은 치우친 氣를 받아 理가 막히고 지식이 없다." 했다. 같은 이유로 머리가 사람은 위에, 금수는 옆에, 초목은 아래에 있어 차등이 불가피하다고 했다. 이런 불평등 관념에 대해서 어떻게 대응할 것인가?

　　홍대용은 말했다. "五倫이나 五事는 사람의 예의이고, 서로 불러 먹이는 것은 금수의 예의이고, 떨기로 나며 가지를 뻗어나는 것은 초목의 예다. 人의 눈으로 보면 人이 貴하고 物은 賤하지만, 物의 눈으로 보면 物이 貴하고 人이 賤하다. 그러나 하늘에서 보면 人과 物이 대등하다." 人의 처지에서 物을 보고 일방적 판단을 내리지 말고, 物의 처지에서 人을 볼 줄도 알아서, 人과 物이 균등하다는 것을 깨달아야 한다고 했다.

　　조동일은 말한다. "자연을 보호하고, 사회악을 해결해야 하는 것이 오늘날 긴요한 과제다. 자연은 두고두고 지배하고 이용하기 위해 보호해야 하는 것이 아니다. 삶은 누리는 것이 사람뿐만 아니라 누구에게서든지 善이므로 모든 생명체를 존중해야 한다. 사회악 해결은 자연 보호와 별개의 사안이 아니다. 사람과 만물이 모두 氣로 이루어졌다는 '기철학'을 살려 윤리학을 혁신하고 '인물균'의 이상을 실현하자." <철학에서 찾는 동력, 조동일>

[홍대용 <毉山問答> 聲讀]

五倫五事(오륜오사)는 : 오륜과 오사는
人之禮義也(인지례의야)요 : 사람의 예의이고
群行呴哺(군행구포)는 : 떼 지어 다니면서 서로 불러 먹이는 것은(呴부를구,哺먹일포)
禽獸之禮義(금수지예의)요 : 새와 짐승의 예의이고(禽새금,獸짐승수)
叢苞條暢(총포조창)은 : 떨기로 어울리고 가지로 뻗어가는 것은(叢떨기총,苞두를포,條가지조,暢펼창)
草木之禮義(초목지예의)라 : 풀과 나무의 예의이다.
以人視物(이인시물)이면 : 사람의 눈으로 사물을 보면
人貴而物賤(인귀이물천)이요 : 사람이 귀하고 사물이 미천하지만
以物視人(이물시인)이면 : 사물의 눈으로 사람을 보면
物貴而人賤(물귀이인천)이요 : 사물이 귀하고 사람이 천하고
自天而視之(자천이시지)이면 : 하늘의 견지에서 보면
人與物均也(인여물균야)니라 : 사람과 사물이 모두 고루 사랑스럽다. 균등하게 귀하다.(均고를균)

*五事 : 孝, 友, 讀書, 謹行, 勤儉

39. 수박! 임금을 밝게, 백성을 장수하게 하는 영약

　　　수박이 구르는 여름이다. 무더위에 수박 한 조각 베어 물면 달콤하고 시원하다. 우리가 잘 아는 시인 윤선도는 수박을 먹으며 별난 생각을 한다.

　　　아프면 약물이나 환약을 복용하는데, 동글동글 토끼똥 같은 작은 환약에서 수박 통 크기의 환약을 떠올린다. 그 환약의 재료는 수박 베어 물 때 생기는 시원한 마음, 포만감, 함께 먹는 즐거움 등이다. 한 마디로 仁이다. 사랑의 마음으로 비빈 수박 통 같은 환약이 온 세상 아픔을 치유하는 영약(靈藥)이다. 이 영약을 먹고 임금은 명민(明敏)하게 되고, 백성은 수복(壽福)을 누리게 해달라고 기원한다.

<시 읊기>

수박
　　　윤선도

둥글둥글 수박 보자마자 내 얼굴이 활짝
타는 입술, 답답한 속이 벌써 시원해
어찌하면 수박처럼 우리 마음을 적셔줄
세상 사람 위로할 영약을 만들까?

<한시 성독>

西瓜(서과)라

　　　尹善道라

團圓入眼破吾顔(단원입안파오안)하여
燥吻煩腸已覺寒(조문번장이각한)을
安得沃心同此物(안득옥심동차물)하여
轉成明主壽民丹(전성명주수민단)을

<한자풀이>

西서녘서, 瓜외과, 團둥글단, 圓둥글원, 入들입, 眼눈안, 破깰
파, 吾나오, 顔얼굴안, 燥마를조, 吻입술문, 煩답답할번, 腸창
자장,마음장, 已이미이, 覺깨칠각, 寒찰한, 安어찌안, 得얻을
득, 沃물댈옥,기름질옥, 心마음심, 同같을동, 此이차, 物물건
물, 轉돌릴전, 成이룰성, 明밝을명, 主임금주, 壽목숨수, 民백
성민, 丹약단

<글귀풀이>

西瓜(서과) : 수박, 서역 외,
團圓(단원) : 둥글둥글한, 수박,
入眼: 눈에 들어오다, 보다.
破吾顔: 파안대소, 내 얼굴이 활짝 펴이다 (破顔大笑: 쪼갠
다=웃다)

燥吻: 마른 입술

煩腸: 답답한 속, (煩괴로울번,)

已覺寒: 이미 차가움을 느끼다, 상큼함을 느끼다

安得沃心: 어찌하면 촉촉한 마음을 얻어서, 仁心을 닦아서

同此物: 이 물건과 같은, 이 수박과 같은

轉成: 동글동글 비벼서 완성할까?

明主壽民: 임금을 밝게 하고 백성들 오래 살게 하는, 세상을 편안하게 하는, 세상 사람들이 윤택한 삶을 살게 하는

丹: 영약을

<직역>

安得沃心同此物: 어찌하면 이 물건과 같은 비옥한 마음(仁心)을 얻어서 그것을 재료로 하여

轉成明主壽民丹: 굴리고 비벼서 임금을 밝게 하고 백성을 오래 살게 하는 수박 통만한 단약을 완성할 수 있을까?

40. 의상의 <화엄일승법계도> 읊기

조동일 교수의 《철학사와 문학사 둘인가 하나인가》는 근대 유럽 주도의 그릇된 철학사를 바로잡아 새로운 세계철학사를 보여주는 최초의 시도이다. 철학은 존재 일반(존재하는 모든 것)에 관한 포괄적이고 총체적인 논란이다. 그러나 학문의 분화와 더불어 철학에 속하던 여러 학문이 독립되어 나가고, 철학 또한 개별학문의 하나가 되었다. 철학이 "이성 그 자체에 대한 비판적 논의"를 담당한다는 잘못을 어떻게 극복할 수 있을까? 철학 탐구와 논란이 한국인의 장기이기 때문에 극복은 우리의 사명이 되었다.

시대에 따라 '원시철학-고대철학'-'중세전기철학'-'중세후기철학'-'중세에서 근대로의 이행기철학'으로 크게 나눌 수 있다. '중세 전기'에 '이상적 일원론의 철학'이 나와 '현실'보다는 **이상의 조화**를 추구한다. '중세후기'에 이상과 현실을 동시에 중요시하는 '이원론 철학'이 나오는데 이것은 '理氣二元論 철학'이다. 그러나 '理'를 중시하고 '氣'를 천시한다.

'중세에서 근대로의 이행기'에 '현실적 일원론의 철학'이 나와 근대를 지향한다. 이것은 '氣一元論 철학', 또는 '氣哲學'이라고 한다. 초월적 '理'를 인정하지 않고 '理'는 '氣'의 원리일 뿐이라고 한 서경덕의 주장이 체계화된 것이다. 한국은 '중세후기' 이후로 철학하는 능력을 발휘해 17-19세기 '중세에서 근대로의 이행기'에 임성주, 홍대용, 박지원, 최한기가 나와 '기철학'을 확립하여 세계철학사를 혁신하였으나 시대적 한계 때문에 망각되었다.

부산 울산 경남은 불도가 센 곳이라고 한다. 큰 사찰이나 작은 암자의 신도들도 불심뿐만 아니라 불교 교리에도 아주 밝은 것을 목격하고 나는 큰 충격을 받았다. '중세전기 이상적 일원론 철학'의 대표적 사상을 담고 있는 의상(義湘)의 <華嚴一乘法界圖> 칠언 30구 210자를 일반 신도들이 술술술 낭송하는데 청산유수가 따로 없었다. 신라시대 원효 스님은 비참하게 살아가는 천민들을 찾아가서 노는 입에 염불하자며 '나무아미타불'을 가르쳤다고 한다. 오늘날 보통 사람들은 난해하기 이를 데 없는 최고 수준의 '철학시'를 어렵다는 생각 없이 통달해 있다. 이것이 우리 민족의 장기이다. 철학하는 동력으로 세계사를 바꾸는데 우리가 나서지 않을 수 없다.

의상(義湘)의 <華嚴一乘法界圖> 앞 10구절 읊기

[1]法性圓融無二相(법성원융무이상)하여
　존재하는 모든 것의 특성은 원융하여 둘(2)이 아니라 하나(1)이다.
[2]諸法不動本來寂(제법부동본래적)을

존재하는 모든 것은 한 덩어리로 움직이지 않아 공(0)이기
도 하다.

[3]無名無相絶一切(무명무상절일체)라

　공이라서 이름도 붙일 수 없고 형상도 없이 모든 현상계와
끊어졌다.

[4]證智所知非餘境(증지소지비여경)을

　이런 이치는 어려워서 지식으로 배워 알 수 없고, 스스로
깨닫는 수밖에 다른 경계는 없다.

[5]眞性甚深極微妙(진성심심극미묘)하니

　참된 본성은 아주 깊고 지극히 미묘하니

[6]不守自性隨緣成(불수자성수연성)을

　나와 남을 분별하는 자성을 지키지 않고 인연에 따라 이루
어진다.

[7]一中一切多中一(일중일체다중일)이요

　하나 가운데 일체, 일체 가운데 하나요,

[8]一卽一切多卽一(일즉일체다즉일)이요

　하나(왕)가 곧 일체(백성)이요, 일체(백성)가 곧 하나(왕)이
다.

[9]一微塵中含十方(일미진중함십방)이요

　작은 티끌 하나 안에 시방세계가 들어있고,

[10]一切塵中亦如是(일체진중역여시)를

　모든 티끌 안에서도 또한 이와 같다.

41. 중세후기 이원론의 시대, 이기철학 입문 (1)

　　　중세전기는 '이상적 일원론'의 시대였다. 앞에서 살펴본 의상의 <華嚴一乘法界圖>는 7언 30구 210자에 지나지 않는 짧은 분량의 시로 이치의 근본을 간추렸다. 義湘 등이 이룩한 '중세전기 이상주의 일원론'은 인류가 이룩한 정신적 창조물 가운데 완벽하고 고결하고 또한 난해하기가 으뜸이어서 두고두고 숭앙된다. 그러면서 최대의 장점이 또한 최대의 단점이다. 삶의 현실을 배제하고 이상을 그리기만 해서 설득력이 부족하고 효력이 의심된다.

　　　현실을, 현실에서 경험하는 모두를 인정하고 다시 말해야 한다. 이상과 현실의 관계를 말해야 한다. 이런 요구가 강력하게 대두해 12-13세기에 문명권 전역에서 이상과 현실을 아우르는, 이상주의이기도 하고 현실주의이기도 한 '중세후기의 이원론'이 이루어진다. 朱熹가 理와 氣는 둘이면서 하나이고 하나이면서 둘이라고 한 것이 '理氣이원론'이다.

　　　중세전기에는 이상적 '性', '道', '理'가 줄곧 숭앙되고, 현실적 '形', '器', '氣'는 천시되다가, 중세후기에 들어 이 둘이 대등한 의의를 가졌다고 하는 획기적인 사상이 나타났다. 그러나 이 둘이 각기 존재한다고 하는 이원론을 전개하면서, 아직 상하의 차등이 있다고 하는 가치의 등급은 분명하게 두었다. 理가 氣에 선행하고 우월하다고 했다.

<주자의 《朱子大全》중 일부 읊기>

天地之間(천지지간)에 : 天地 사이에

有理有氣(유리유기)하니: 理가 있고 氣가 있으니

理也者(이야자)는 : 理라는 것은

形而上之道也(형이상지도야)니 : 형이상의 道이니,

生物之本也(생물지본야)라 : 만물을 생성하는 근본이다.

氣也者(기야자)는 : 氣라는 것은

形而下之器也(형이하지기야)이니 : 형이하의 器이니,

生物之具也(생물지구야)라 : 만물을 생성하는 기구이다.

是以(시이)로 : 이런 까닭으로

人物之生(인물지생)에 : 人과 物이 생겨날 때

必稟此理然後(필품차리연후)에 : 반드시 이 理를 타고난 다음에

有性(유성)이오 : 性이 있고

必稟此氣然後(필품차기연후)에 : 반드시 이 氣를 타고난 다음에

有形(유형)이라 : 形이 있다.

其性其形(기성기형)은 : 그 性과 그 形은

雖不外乎一身(수불외호일신)이나 : 비록 한 몸에서 벗어나지 않는다 하더라도

然其道器之間(연기도기지간)은 : 그러나 그 道와 器 사이는

分際甚明(분제심명)하여 : 나뉘는 경계가 분명해서

不可亂也(불가란야)니라 : 뒤섞일 수가 없다.

《朱子大全》중, 권58, <答黃道夫>

*《철학사와 문학사 둘인가 하나인가》,조동일,지식산업사

42. 이황과 서경덕의 대립, 이기철학 입문(2)

조동일 교수의 저서 《한국소설의 이론》은 이기철학 이해를 위한 祕記다. 동굴 깊이 숨어있어 힘껏 찾아야 한다. 꼼꼼히 읽어보면 이기철학의 흐름을 한눈에 알 수 있다. 여기서 길게 인용하여 이기철학에 입문해 보자. 이원론자 이황과 일원론자 서경덕의 대립에서 논란이 확대되고 사상이 익어간다. 결국 '기일원론' 대등 철학으로 혁신된다.

한미(寒微)한 무반(武班)의 가문에서 태어나 할아버지가 남의 토지를 소작하는 처지에 있었던, 서경덕은 일생을 빈한(貧寒)하게 보내며 학문에 몰두했다. 그의 철학은 세상에 진출하기 위한 명분도 아니며 심성수양(心性修養)의 길도 아니며, 이미 조선왕조의 정통적인 이념으로 인정된 주리론(主理論)을 거부하고 주기론(主氣論)의 방향을 택한 것은 집권 사대부층(士大夫層)과는 다른 처지에서 진리를 인식하기 위한 결단이다.

이와는 달리 집권 사대부로 진출하는 과정에 있던 문반(文班)에서 태어난 이황은 이기철학(理氣哲學)으로 출중하게 입신한 사람이다. 그의 철학은 나아가서는 국가의 이념을 확립하고 왕도정치(王道政治)의 이상을 제시하면서 정권에 참여하기 위한 것이며, 물러나서는 심성(心性)을 닦고 도학(道學)을 펴기 위한 것이니, 자연히 도통(道統)을 옹호하고 이단을 배격하는 데 노력을 기울일 수밖에 없었다.

이황은 자기 스스로 사물을 직접적으로 알 수 있다고 하지 않고, 오직 성현(聖賢)을 따르는 것이 배움의 가장 온

당한 방법이라고 생각했다. 이황이 배우고자 하는 것은 '理'
다. '理'는 無形이고, 無色, 無臭(무취)한 것이니 직접적인
인식의 대상이 될 수 있는 것이 아니다. 성현이 '理'라고 한
것이 '理'다.

서경덕이 알고자 한 것은 氣다. 理는 氣의 조리(條
理)이니 氣를 알면 理를 알게 된다고 본다. '氣'는 실제로
존재하고 나날이 경험하는 것이니 직접적인 인식의 대상이
될 수 있다. 天地萬物이 氣로 이루어져 있듯이 人間도 氣로
이루어져 있다. 인간의 精神知覺은 기가 크게 또한 오래 모
인 것이니 어찌 氣를 인식하지 못할 것인가 하는 것이 서경
덕의 반문이다. (*條理 : 體系를 이루는 원리)

서경덕과 이황의 대립은 두 사람 사이에서 끝난 것이
아니고 그 당시에만 의의를 가졌던 것도 아니며, 이기철학이
존속하는 한 명백하게 계속되는 것이므로 이 대립에 따라서
이기철학사의 전 과정을 정리할 수 있다. 이황은 '이기이원
론'에서 '理'를 강조하는 '주리론자'이고, 이이는 '이기이원
론'에서 '氣'를 강조하는 '주기론자'이다. '理'가 '氣'를 존
재할 수 있게 한다는 '본질론'에서 보면 이황과 이이는 입장
이 서로 같은 '도학자'이다. 한편 서경덕은 '理'는 '氣'의
'원리'일 뿐이라는 '기일원론자'이며, '反道學者'다.

인용 *<<한국소설의 이론>>, 조동일, 지식산업사.

<<퇴계집>>과 <<화담집>> 일부 성독

未有這事(미유저사)에 : 이 일(氣)이 있기 전에

先有其理(선유기리)이니 : 그 '理'가 먼저 있으니,
如未有君臣(여미유군신)에 : '군신 관계'가 있기 전에
已先有君臣之理(이선유군신지리)요 : '군신지리'가 있고,
未有父子(미유부자)에 : '부자 관계'가 있기 전에
已先有父子之理(이선유부자지리)니라 : 이미 '부자지리'가 있는 것과 같다.
<<퇴계집25>>

*해석1: '父子之理'는 '父慈子孝'와 같은 성현의 말씀이다. 아버지는 자애롭고 아들은 효성스러워야 한다. 현실의 '부자관계'에 심각한 문제가 있다고 해도 '父慈子孝'라는 성현의 가르침에 따라 원만하게 해결된다고 본다. 이처럼 현실의 대립은 만고불변의 진리인 '理'에 의해 해소된다고 하는 것이 이황의 견해이다.

*해석2: '父子關係'는 현실에서 직접 일어나는 아버지와 아들의 관계이다. 설화에서 아들이 아버지를 물리쳐서 권력을 잡고, 아버지가 아들을 버리거나 자결하게 만들기도 하고, 오늘날 소설에서는 헤아릴 수 없이 많은 부자관계가 나타나며 그 관계에 따라 다양한 '父子之理'가 탄생하는 것이다. 이것은 서경덕의 견해이다. 이런 세계관의 근본 차이 때문에 이황은 과격하며 단정적이고 추호의 양보도 없이 서경덕을 공격했다.

以理言之則無不全(이리언지칙무부전)하고 : '理'로써 이것

(만물)을 말한다면 온전하지 않음이 없고,
以氣言之則不能無偏(이기언지직불능무편)니라 : '氣'로써 이것을 말한다면 치우침이 없을 수 없다.
<<퇴계집40>>

氣外無理(기외무리)요 : '氣' 밖에 '理'가 있는 것이 아니다.
理者氣之宰也(리자기지재야)라 : '理'는 '氣'의 주재자이되,
所謂宰非自外來而宰之(소위재비자외래이재지)니 : 소위 '주재자는 밖에서 와 '氣'를 '主宰'한다는 말이 아니고
指其氣之用事(지기기지용사)라 : 理는 '氣'의 '用事'를 지칭한다. 이것은 "기 스스로 자기가 자신을 처리한다, 理는 기 자체의 원리다. 理는 기가 움직이는 원리다. 理는 氣의 條理다. 理는 氣의 體系다."라는 뜻이다.
<<화담집2>>, <理氣說>
*主宰 : 중심이 되어 맡아 처리하는 사람이나 주장.

雖一草一木之微者(수일초일목지미자)라도 : 비록 풀 한 포기, 나무 한 그루 정도의 작은 것도
其氣終亦不散(기기종역불산)인데 : 그 氣가 끝내 흩어지지 않는데,
況人之精神知覺(황인지정신지각)은 : 하물며 인간의 정신지각은
聚之大且久者哉(취지대차구자재)라 : 기가 크고 오래 모인 것이라! (이렇게 큰 氣로 이루어진 사람이 氣로 이루어진 萬物을 인식하지 못한다는 말인가?)
<<화담집2>>, <鬼神生死論>

43. 이황, 非理氣爲一物辯證(1) 성독, 이기철학 입문(3)

　　앞으로 여러 회에 걸쳐 이황의 <非理氣爲一物辯證(비이기위일물변증)>을 읽어보자. 이와 기가 한 물건이 아니라는 것을 변별해 논증한 글이다. 이황은 '이기이원론에서 주리론'을 주장하며 중세를 옹호했다. 이어서 서경덕의 <理氣說(이기설)>을 읽고, 다음으로 율곡 이이의 이기철학 편지글을 읽어보자. 서경덕은 '기일원론'을 주장하여 당대를 뛰어넘고자 했다. 율곡은 퇴계와 화담을 절충해 중세 이념 안에서 현실을 개조하고자 했다. 경험 이상의 일반화를 요구하는 철학 논쟁을 치열하게 벌인 선조들의 발자취를 직접 따라가 보자. 철학하는 힘에서 동력을 얻어 다음 시대를 열어가는 설계도를 제각기 마련하자.

　　"이황은 점잖은 분이고 절도를 존중했다. 남의 말을 경청하고 독단에 빠지지 않으려 했다. 자기는 이미 알았다고 자부하지 않고 알기 위해 노력하고 있음을 강조했다. 그런데도 서경덕을 공격할 때만은 예외였다. 과격하며 단정적이고 추호도 양보하지 않았다. 이황의 인격에 결함이 있기 때문이 아니고, 논쟁이 세계관의 근본적인 차이에 관한 것이기 때문이었다."(《한국소설의 이론》, 조동일, 17쪽)

퇴계선생문집 제41권 / 잡저(雜著)

<편지 성독 시작>

非理氣爲一物辯證(비이기위일물변증)이라 : 이와 기가 하나가 아니라는 것을 분명하게 밝혀 증명한다.

孔子曰(공자왈) : 공자가 말씀하시기를
易有太極(역유태극)이니 : "《주역》에 태극이 있으니
是生兩儀(시생양의)라 : 이것이 양의(음양)을 낳았다." 했다.
周子曰(주자왈) : 주렴계가 말하기를
太極動而生陽(태극동이생양)하고 : "태극이 움직여 양을 낳고
靜而生陰(정이생음)이라 : 고요하여 음을 낳는다.
又曰(우왈) : 또 말하기를
無極之眞(무극지진)과 : 무극의 진(眞)과 *理
二五之精(이오지정)이 : 음양오행의 정(精)이 *氣
妙合而凝(묘합이응)이라 : 묘하게 합하여 잉겼나." 했다.
今按孔子周子明言陰陽是太極所生(금안공자주자명언음양시태극소생)이라하니 : 지금 살펴보니, 공자와 주렴계가 음양은 분명히 태극이 낳은 것이라고 말하였으니,
若曰理氣本一物(약왈리기본일물)이면 : 만약 이기가 본래 한 물건이라면,
則太極卽是兩儀(즉태극즉시양의)이니 : 태극이 바로 양의(음양)가 되니,
安有能生者乎(안유능생자호)아 : 어찌 능히 자기가 자기를 낳을 수 있겠는가!
曰眞曰精(왈진왈정)이 : 무극의 眞(理)이니, 음양오행의 精(氣)이니 라고 말한 것은
以其二物故(이기이물고)니 : 그것들이 두 가지 물건이기 때

- 120 -

문에

曰妙合而凝(왈묘합이응)이라 : 묘하게 합쳐져서 응결되었다
고 한 것이다.

如其一物(여기일물)이라면 : 만일 그것이 한 물건이라면

寧有妙合而凝者乎(녕유묘합이응자호)아 : 어찌 묘하게 합쳐
져서 응결되었다고 할 수 있겠는가?

　(계속)

44. 이황, 非理氣爲一物辯證(2) 성독, 이기철학 입문(4)

　　理와 氣를 문자 그대로의 것으로 본다면 理氣가 一物이든 二物이든 상관없고 그걸 가지고 시비를 하는 것이 허망하게 생각될 수 있다. 그러나 이황이 "이 일이 있기 전에 그 理가 먼저 있으니, 君臣이 있기 전에 君臣之理가 있고, 父子가 있기 전에 父子之理가 있다."고 했을 때 문제가 달라진다.

　　이런 주장의 타당성 여부는 누구에게든지 중대한 관심사가 될 만하다. '군신관계'나 '부자관계'에 관한 사례를 경험적으로 따져서 타당성을 판정할 수 있지만, 경험적 사례 이상의 일반화를 요구한다면 철학적 사고가 시작될 수밖에 없다. (《한국소설의 이론》, 조동일, 18쪽)

퇴계선생문집 제41권 / 잡저(雜著)

<편지 성독 계속>
明道曰(명도왈) : 정명도가 말하기를
形而上爲道(형이상위도)요 : 형이상을 道라 하고
形而下爲器(형이하위기)니 : 형이하를 器라 하니
須著如此說(수저여차설)이라 : 모름지기 분명히 이처럼 말해야 한다.
器亦道(기역도)며 : "기가 또한 도이며
道亦器(도역기)니라 : 도가 또한 기이다."

今按若理氣果是一物(금안약리기과시일물)이면 : 지금 살펴보건대, 만약 이와 기가 과연 하나라면

孔子何必以形而上下分道器(공자하필이형이상하분도기)하며 : 공자가 하필이면 형이상과 형이하로 도와 기를 나누었겠는가!

明道何必曰須著如此說乎(명도하필왈수저여차설호)아 : 정명도가 하필이면 "모름지기 분명히 이같이 말해야 한다."고 했을까!

明道又以其不可離器而索道(명도우이기불가리기이색도)에 : 정명도는 또 器를 떠나 道를 찾을 수 없기에

故曰器亦道(고왈기역도)요 : 그래서 기 또한 도라고 하고

非謂器卽是道也(비위기즉시도야)라 : 기가 바로 이 도라고 하지 않았다.

以其不能外道而有器(이기불능외도이유기)하니 : 정명도는 도를 외면하고는 기가 있을 수 없기에

故曰道亦器(고왈도역기)요 : 그래서 도 또한 기라고 하고

非謂道卽是器也(비위도즉시기야)라 : 도가 바로 이 기라고 하지 않았다.

道器之分(도기지분)은 : 도와 기의 구분은

卽理氣之分(즉리기지분)이니 : 바로 이와 기의 구분과 같으니

故引以爲證(고인이위증)이라 : 그래서 인용하여 증명으로 삼는다.

(계속)

45. 이황, 非理氣爲一物辯證(3) 성독, 이기철학 입문(5)

　　율곡 이이는 다음과 같이 주리론자들을 비판한다. "지금 학자들은 입만 열면 곧 理는 無形이요 기는 有形이니, 理氣는 결코 一物이 아니라고 말하나, 이는 자기가 알고 하는 말이 아니고 남의 말을 전하는 것이다."(李珥, <답성호원서>)

　　아마도 당시 학자들이 퇴계 이황의 이 편지에 근거를 두고 "理氣는 결코 一物이 아니다."라고 한 것 같다.

<편지 성독 계속>
朱子答劉叔文書曰(주자답류숙문서왈) : 주지가 류숙문에게 보낸 편지에 말하기를
理與氣決是二物(리여기결시이물)이라 : '이'와 '기'는 결단코 각각 두 물건이라.
但在物上看(단재물상간)이면 : 다만 어떤 구체적인 사물에서 본다면
則二物渾淪(즉이물혼륜)하여 : 理와 氣 두 물건이 섞여 있어서
不可分開各在一處(불가분개각재일처)나 : 한 사물 안에 理와 氣가 나뉘어 각각 존재한다고 할 수는 없으나
然不害二物之各爲一物也(연불해이물지각위일물야)라 : 그러나 理와 氣가 각각 한 물건이라고 주장하는 것은 문제가 되지 않는다.

若在理上看(약재리상간)이면 : 만약 사물이 아니라 '이치'의 차원에서 理와 氣를 본다면

則雖未有物(즉수미유물)이라도 : 비록 어떤 구체적 사물이 아직 없다고 하더라도

而已有物之理(이이유물지리)라 : **이미 어떤 구체물의 이치는 존재한다.**

然亦但有其理而已(연역단유기리이이)요 : 그러나 다만 그 이치만 존재할 뿐이고

未嘗實有是物也(미상실유시물야)라 : 일찍이 아직 실제로 이 사물이 있는 것은 아니다.

又曰(우왈) : 또 말하기를

須知未有此氣(수지미유차기)하나 : 모름지기 알아야 할 것은 이 기가 아직 있지 않아도

先有此性(선유차성)이요 : 먼저 이 본성이 있고

氣有不存(기유부존)이라도 : 기가 존재하지 않아도

性卻常在(성각상재)하니 : 본성은 도리어 항상 존재하니

雖其方在氣中(수기방재기중)이나 : 비록 바야흐로 본성이 氣 안에 존재하나

然氣自氣性自性(연기자기성자성)이라 : 그러나 氣는 저대로 氣이고, 性은 저대로 性이라서

亦自不相夾雜(역자불상협잡)이라 : 또한 저절로 서로 섞이지 않는다.'

至論其偏體於物(지론기편체어물)이면 : 그것(理)이 사물에 두루 체화되어 있다는 논의에 이르면

無處不在(무처부재)니라 : 理는 존재하지 않는 곳이 없다.

則又不論氣之精粗(즉우불론기지정조)나 : 또 氣의 정밀함과

조악함을 막론하고

而莫不有是理焉(이막불유시리언)이라 : 이 理가 있지 않은 곳이 없다.

今按理不囿於物(금안리불유어물)이니 : 이제 살펴보니, 理는 사물에 얽매이지 않으니 (囿얽매일유)

故能無物不在(고능무물부재)니라 : 그러므로 능히 이치는 사물에 존재하지 않을 수가 없는 것이다.

不當以氣之精者爲性(부당이기지정자위성)이요 : 기가 정밀한 것이 본성이 되고

性之粗者爲氣也(성지조자위기야)니라 : 본성이 거친 것이 氣가 된다는 말은 부당하다.

性卽理也(성즉리야)니 : 본성이 바로 이치이니

故引以爲證(고인이위증)이라 : 그러므로 인용하여 증거로 삼는다.

(계속)

<퇴계선생문집 제41권 / 잡저(雜著)>

46. 이황, 비이기위일물변증(非理氣爲一物辯證)(4)
이기철학 입문(6)

　　　　조동일 교수는 이황의 이 편지를 이렇게 비판한다. "이황은 서경덕의 학설이 한 말도 성현의 것과 일치하지 않는다고 비판했는데, 이런 비판이 이황의 처지에서 본다면 치명적이지만, 서경덕의 자리에서 본다면 비판으로서의 의의를 가지지 않는다. 성현의 설과 일치하지 않는다는 것은 이미 서경덕이 말했고, 이 점을 자기 학설의 가치라고 했기 때문이다.

　　　　그렇다고 해서 앞 사람의 설이 서경덕에게 무의미했다는 것이 아니다. 앞 사람의 설은 문제를 발견하고 사색을 할 수 있는 단서를 제공해 준다. 그러면서 깊이 따질 때 앞 사람의 설이 부족하거나 잘못되었음이 밝혀져 자기대로의 이론을 전개한 것이다."(《한국소설의 이론》,조동일,26-27쪽)

<편지 성독 계속>
今按朱子平日,論,理氣許多說話(금안주자평일,론,이기허다설화)에 : 이제 살펴보면, 주자가 평소 이(理)와 기(氣)를 논한 많은 말씀 가운데
皆未嘗有,二者爲一物之云(개미상유,이자위일물지운)하고　　: 일찍이 어느 것도 두 가지가 한 물건이라고 한 적이 없었고,
至於此書(지어차서)하여는 : 이 편지에 이르러서는
則直謂之理氣決是二物(즉직위지이기결시이물)이라하고 : 바로 "이와 기는 결단코 두 물건이다." 하였고,
又曰性雖方在氣中(우왈성수방재기중)하나 : 또 "성이 비록

바야흐로 기 가운데 있다 하더라도

然,氣自氣,性自性(연,기자기,성자성)하여 : 그러나 기는 기이고 성은 성이어서

亦,自不相夾雜(역,자불상협잡)이라하니 : 또한 서로 섞이지 않는다 하니,

不當,以氣之精者爲性,性之粗者爲氣(부당,이기지정자위성,성지조자위기)니라 : 기의 정한 것을 성으로 삼거나, 성의 거친 것을 기로 삼아서는 안 된다." 하였다.

夫以,孔周之旨,旣如彼(부이,공주지지,기여피)이고 : 대개 공자와 주자(周子)의 뜻이 이미 저와 같고,

程朱之說,又如此(정주지설,우여차)이니 : 정자와 주자(朱子)의 설이 또 이와 같으니,

不知,此與花潭說同耶異耶(부지,차여화담설동야이야)라 : 이 말이 화담(花潭)의 설과 같은가 다른가? 알 수가 없구나.

滉,愚陋滯見,但知篤信,聖賢(황,우루체견,단지독신,성현)하여 : 내가 어리석고 고루하여 소견이 막혀서 성현을 독실하게 믿을 줄만 알아서

依,本分,平鋪說話(의,본분,평포설화)하니 : (성현이 말씀하신) 본분에 의거하여 평이하게 말을 펼칠 뿐이니, (鋪펼포)

不能,覷到,花潭,奇乎奇,妙乎妙,處(불능,처도,화담,기호기,묘호묘,처)라 : 화담처럼 기기묘묘한 곳은 보지 못하였다. (覷엿볼처)

然嘗試以花潭說(연상시이화담설)로 : 그러나 일찍이 시험삼아 화담의 설을 가지고

揆,諸聖賢說(규,제성현설)이면 : 여러 성현의 설을 헤아려 보면

無一符合處(무일부합처)라 : 하나도 부합하는 곳이 없다.

每謂花潭一生用力於此事(매위화담일생용력어차사)이나 : 매양 생각건대, 화담이 일생을 이 일(理氣탐구)에 힘을 쏟아

自謂,窮深極妙,(자위,궁심극묘)지만 : 스스로 '심오한 이치를 다 알고 현묘한 극치를 깨달았다'고 여기지만,

而終見得理字,不透(이종견득리자,불투)라 : 끝내 이(理)란 글자를 투철하게 알아내지 못하였다.

所以,雖拚死力,談奇說妙(소이수변사력담기설묘)하나 : 그래서 비록 죽을힘을 다하여 기이한 것을 말하고, 묘한 것을 떠들었으나, (拚힘쓸변)

未免,落在形器粗淺,一邊了(미면,락재형기조천,일변료)이니 : 거칠고 얕은 형기(形器) 한쪽에 떨어지는 것을 면하지 못하였으니

爲可惜也(위가석야)라 : 가히 애석하도다.

而其門下諸人(이기문하제인)은 : 그런데도 그 문하의 여러 사람은

堅守其誤(견수기오)하니 : 그릇된 것을 굳게 지키니,

誠所未諭(성소미유)니라 : 참으로 알 수 없는 일이다. (諭깨우칠유)

故今亦未暇爲來說一一訂評(고금역미가위래설일일정평)이라 : 그러므로 지금 또한 보내온 말에 대하여 일일이 정정하고 평론할 겨를이 없다. (계속)

(계속)

*퇴계선생문집 제41권 / 잡저(雜著)

47. 이황, 非理氣爲一物辯證(5) 이기철학 입문(7)

　　중세전기에는 귀족들의 철학인 '이일원론'은 인류가 이룩한 정신적 창조물 가운데 완벽하고 고결하고 또한 난해하기가 으뜸이어서 두고두고 숭앙된다. 그러면서 최대의 장점이 또한 최대의 단점이다. 삶의 현실을 배제하고 이상을 그리기만 해서 설득력이 부족하고 효력이 의심된다.

　　현실을, 현실에서 경험하는 모든 것을 인정하고 다시 말해야 한다. 이상과 현실의 관계를 말해야 한다. 이런 요구가 강력하게 대두해 이상과 현실을 아우르는, 이상주의이기도 하고 현실주의이기도 한 '중세후기의 이원론'을 이룩해야 한다.

　　그　과업을　힌두교문명권의　라마누자(Ramanuja, 1017-1137),　　　이슬람문명권의　　　가잘리(Muhammed al-Ghazali, 1058-1111), 유교문명권의　朱熹(1130-1200), 기독교문명권의　아퀴나스(Thomas Aquinas, 1225-1274)가 맡았다.

　　朱熹가 理만 소중하지 않고 氣 또한 소중하며, 理와 氣는 하나이면서 둘이어서, 불가분의 관계를 가지지만 서로 구별된다고 한 것이 다른 세 사람도 함께 지닌 생각이다. 그런 특징을 가진 '理氣이원론'이 '중세후기사상'의 공통된 특징이다.

　　그 네 사람의 사상은 理와 氣가 둘 다 소중하고, 그

둘이 불가분의 관계를 가지지만, '이'가 '기'보다 우위에 있다고 하는 '理氣이원론'이다. 누구든지 자기 삶을 이룩하면서 진리 탐구를 할 수 있지만, 삶의 실상 자체가 진리는 아니고, **'삶의 실상을 넘어서서 고차원한 가치를 추구하고, 외면의 얽힘과는 다른 내면의 평온을 찾아야 한다'**고 했다.

주자의 사상은 중세후기의 모범답안이 되었다. 모범답안으로 인정되면서 창조적인 노력의 의의는 줄어들고 사고를 공식화하고 사회를 규제하는 구실을 하게 된다. 혁신이 보수로 바뀌고 추종자나 맹신자들이 생겨나 긍정적인 의의는 없애고, 사상을 규격·교리·절대화했다.

이황은 오로지 주자를 신봉하고 주자의 말씀에 따라 생각하고 행동한다고 이 편지에서 누누이 밝혔다. 이황은 중세후기철학의 모범답안에 갇혀 자유로운 사고를 할 수 없었다. '중세에서 근대로의 이행기'를 '중세'로 역행시키고, '근대화'를 거부하는 명분으로 사용된 철학의 맹주가 되어 사고 혁신의 걸림돌이 되고 있으나, 그렇게 생각하는 사람들이 많지 않은 것이 우리 철학의 현실이다. 참고 (**<철학에서 찾는 동력>, 조동일**)

<편지 성독 종결>
然竊見朱子謂叔文說(연절견,주자위숙문설)하니 : 주자가 숙문에게 한 말씀을 그윽이 살펴보니
精而又精(정이우정)하여 : "정밀하고 또 정밀하여

不可名狀(불가명상)을 : 가히 이름 지을 수 없는 것을

所以不得已而强名之曰太極(소이부득이이강명지왈태극)이요
: 어쩔 수 없이 억지로 이름을 붙여서 '태극'이라 하고

又曰(우왈) : 또 말하기를

氣愈精而理存焉(기유정이리존언)은 : 기운이 더욱 정밀하여
여기에 이치가 존재한다는 것은

皆是指氣爲性之誤(개시지기위성지오) : 이런 것은 모두 기
(氣)를 가리켜 성(性)이라고 하는 오류이다."하니

愚謂此非爲叔文說(우위차비위숙문설)이요 : 어리석은 내가
생각하기에 이것은 숙문을 위해 하는 설명이 아니라

正是爲花潭說也(정시위화담설야)라 : 바로 이것은 화담을
위해 설명하는 것 같다.

又謂叔文若未會得(우위숙문약미회득)이면 : 주자가 또 말하
기를 "숙문이 만약 이런 설명을 이해하기 어려우면

且虛心平看(차허심평간)하여 : 또 마음을 비우고 공평하게
보면서

未要硬便主張(미요경편주장)이요 : 강경하고 편의대로 주장
을 할 필요는 없고

久之自有見處(구지자유견처)하니 : 오래되면 자연히 보이는
자리가 있을 것이니

不費許多閒說話也(불비허다한설화야)라 : 허다하게 한가한
이야기로 귀한 시간을 낭비할 필요는 없다.

如或未然(여혹미연)이면 : 만일 혹시 그렇지 않으면

且放下此一說(차방하차일설)하고 : 또 이 일설을 내려놓고

別看他處(별간타처)하면 : 따로 다른 것을 찾아보면

道理尙多(도리상다)하여 : 도리가 아직 많아서

或恐別因一事(혹공별인일사)하여 : 혹시 아마도 다른 한 가지 일로 인하여

透著此理亦不可知(투저차리역불가지)를 : 이 이치를 투철하게 알게 될지도 모르므로

不必守此膠漆之盆(불필수차교칠지분) : 군이 이 아교나 옻칠 단지 같은 것을 끌어안고서

枉費心力也(왕비심력야)라하니 : 마음의 힘을 왜곡되게 허비할 것이 없다." 하였으니,

愚又謂此亦非爲叔文說(우우위차역비위숙문설)이요 : 어리석은 내가 또 생각하기에 이것은 숙문을 위한 설명이 아니요,

恰似爲蓮老針破頂門上一穴也(흡사위련로침파정문상일혈야)라 : 연로(화담)을 위해 정수리 위의 한 혈에 침을 두드려 놓는 것 같이 보인다.

且羅整菴於此學(차라정암어차학)에 : 또 나정암이 이 이기(理氣) 학설에 대하여

非無一斑之窺(비무일반지규)하나 : 한 점 엿본 것이 없지는 않으나

而誤入處正在於理氣非二之說(이오입처정재어리기비이지설)이니 : 잘못 들어간 곳이 '이와 기가 두 물건이 아니다'라는 설이니

後之學者(후지학자)가 : 후대의 학자가

又豈可踵謬襲誤(우기가종류습오)하여 : 또 어찌 가히 오류를 계승하고 답습하여 (*踵계승할종 襲답습할습)

相率而入於迷昧之域耶(상솔이입어미매지역야)리오 : 서로 이끌어 미혹되고 어리석은 지경에 들어가게 하는가. (끝)

48. 서경덕의 기일원론, 이기철학입문(8)

　　앞에서 퇴계의 편지 '非理氣爲一物辯證'을 길게 읽었다. 孔子, 周子, 明道, 程朱之說 등을 인용하여 주자 등 성현이 이미 이룩한 말씀을 오로지 따르는 것이 자기주장이라고 했다. 생각이 다른 나정암(羅整菴)이 후학을 그르칠 것이라 하고, 화담 서경덕을 몇 차례나 힐난하고 있다.

　　이황은 태극이 음양을 낳았다 했다. 理氣는 결단코 두 물건이라 했다. **태극이 理이고 음양이 氣라는 말이다.** 이는 기에 선행하고, 이는 기보다 우월하다는 **주리론적 이원론**을 확고하게 했다. 이와 기의 차등을 철학으로 삼아 중세를 옹호했다.

　　오늘 읽을 화담의 '이기설'은 인용이 전혀 없는 자기 생각이다. 이황의 글은 문장이 길고 장황한데, 이것은 짧고 깔끔하다. 자기가 깨달은 바를 선명하게 나타냈다. '기 밖에 이가 없다.', '이는 기보다 앞서지 않는다.', '음양 두 기의 생성과 변화를 태극의 묘라 한다.', **음양 두 기가 태극이라는 말이다.** 하나인 기가 둘을 포함해 생성하고 극복하는 생극론을 이룩했다. 화담은 중세를 옹호하는 이기이원론을 거부하고 일찍이 기일원론을 주장하며 대등 철학을 마련했다.

　　화담 사후 어전회의에서 화담의 학문을 토론할 때 율곡 이이가 "이 사람의 공부는 진실로 학자들이 본받을 바는 아닙니다. 서경덕의 학문이 횡거에서 나왔다고는 하나 그의 저서(著書)가 성현의 뜻과 꼭 들어맞는지는 신이 알 수 없습니다. 다만 세상에서 이른바 학자라는 사람들은 성현의 설을 모방하여 말할 뿐 마음으로 터득한 것이 없습니다. 그러나 서경덕은 깊이 생각하고 멀리 나아가 자득(自得)한 묘리(妙理)가 많으니, 문자(文字)만 익히고 말로만 한 학문이 아닙니다." 했다. 왕은 그의 공부를 의심스러워하면서도 '자득지학'을 인정해 우의정에 추증했다. (조선왕조실록 > 선조실록 > 선조 8년 을해 > 5월 ○○일)

理氣說이라
서경덕(徐敬德, 1489~1546)이라

無外曰太虛요 : 밖이 없는 것을 태허라 하고,
無始者曰氣이니 : 시작이 없는 것을 기라 하니
虛卽氣也라 : 태허가 기다.
虛本無窮이요 : 태허는 본래 무궁하고,
氣亦無窮이라 : 기도 무궁하다.
氣之源은 : 기의 근원은
其初一也라 : 그 처음에 하나다.
旣曰 : 이미 말하기를
氣一便涵二(기일변함이)니라 : 하나인 기가 문득 둘을 포함하고 있다.
太虛爲一인데 : 태허가 하나인데
其中涵二하여 : 그 가운데 둘을 포함하고 있어
旣二也니라 : 이미 둘이다.
斯不能無闔闢이요 : 이것은 능히 닫고 열고가 없을 수 없고,
無動靜이요 : 동과 정이 없을 수 없고,
無生克也니라 : 생성과 극복이 없을 수 없다.

原其所以能闔闢과 : 그 능히 닫고 열기와

能動靜과 : 능히 움직이고 고요하기와

能生克者而名之曰太極이라 : 능히 생하고 극하게 하는 까닭 (所以)을 밝혀서(原) 이름 지어 태극이라 한다.

氣外無理요 : 기 바깥에 이가 없고,

理者氣之宰也이니 : 이라는 것은 기의 주재자(宰)입니다.

所謂宰는 : 이른바 이끌어간다는 것은

非自外來而宰之요 : 밖에서 와서 처리하는 것이 아니요,

指其氣之用事니라 : 그 기가 스스로 움직이는 것을 가리킨 다.

能不失所以然之正者而謂之宰니라 : 능히 그렇게 하는 까닭 의 정당성을 잃지 않는 것을 주재한다고 한다. 능히 정확한 원리를 잃지 않는 것을 주재한다고 말한다. (所以然:그렇게 된 까닭)

理不先於氣요 : 이는 기보다 앞서지 않고

氣無始이니 : 기는 시작이 없으니

理固無始니라 : 이도 본래 시작이 없다.

若曰 : 만약 말하기를

理先於氣이면 : 이가 기보다 앞선다고 한다면

則是氣有始也라 : 이것은 기에 시작이 있는 것이다.

老氏曰 : 노자가 말하기를

虛能生氣하니 : 태허는 능히 기를 낳는다 하니

是則氣有始有限也니라 : 이것은 기가 시작도 있고, 한계도 있다는 것이다.

又曰 : 또 말하기를

易者는 : 역이라는 것은

陰陽之變이니 : 음양이 변하는 것이니

陰陽은 : 음양은

二氣也라 : 두 기다.

一陰一陽者는 : 한 번 음이 되고 한 번 양이 되는 것이

太一也라 : 태일이다.

二故化요 : 둘이라서 변화하고

一故妙니라 : 하나라서 신묘하다.

非化之外別有所謂妙者와 : 변화 외에 따로 이른바 신묘한 것이 있지 않는 것과

二氣之所以能生生化化而不已者는 : 두 기가 능히 생성하고 변화하며 끝이 없는 것은

卽其太極之妙니라 : 바로 그것이 태극의 묘다.

若外化而語妙하면 : 만약 변화를 제외하고 묘를 말한다면

非知易者也니라 : 역을 아는 자가 아니다.

49. 율곡 이이의 이원론적주기론, 이기철학입문(9, 끝)

　　李珥는 徐敬德과 李滉에 대한 불만에서 자기 사상을 전개했다. 徐敬德에 대해서는 '자득지학'의 학문하는 태도는 높이 평가하면서도, 그의 학문 내용이 聖賢의 생각과는 다른 방향으로 나아갔는데 反感을 표시했다.

　　李滉에 대해서는 聖賢의 道를 계승했다는 점에서 항상 존경하면서도 理의 屈에 침잠한 인물이라는 불만을 말했다. 李滉은 나아가서 나라를 다스리고 현실에 참여하는 데 열의를 갖지 않고 물러나 存養, 省察하는 것만 특히 중요한 과제라고 생각한 것을 비판했다. 나라가 위기에 처해 있으며, 위기의 극복이 性理學의 임무로 부과되어 있는데, 이런 태도를 가시는 것은 더욱 환영할 수 없는 일이라고 생각했다.

　　徐敬德은 理는 氣의 대립적 운동 자체의 법칙에 불과하고 별도로 존재하는 것이 아니라고 함으로써, **일원론적 주기론**을 수립했다. 李滉은 이와는 달리 理는 氣와 별개의 것이기 때문에 理氣는 二物이고, 理가 작용함으로써 氣의 대립적 운동이 생기고, 理는 하나이되 氣에 차별이 있어서 萬殊가 나타나며, 理는 純善하되 氣에 淸濁이 있어서 善惡의 구분이 이루어진다고 하여 **이원론적 주리론**을 수립했다.

　　李珥의 主氣論은 徐敬德의 主氣論과 같이 氣 자체의 대립적 운동을 문제의 핵심으로 삼고, 李珥의 二元論은 李滉의 二元論과 같이 理와 氣 사이의 대립을 문제의 핵심으로 삼는다. 李珥에 이르러서는 현실 자체(氣)를 그것대로의 원리에 따라 문제 삼으면서 현실을 넘어서 있는 도덕적 당위(理)를 설정하고 이것에 입각하여 현실의 문제를 해결하려고 하는 입장을 취하는 것이 가능하게 된다.

　　理를 인정하지 않는 徐敬德의 철학을 一元論的主氣論이라 하고, 氣보다 중요한 理를 강조한 李滉의 철학을 二元論的主理論이라고 하는 데 대해서, 氣 자체의 대립적 운동을 중요시한 점에서 主氣論, 현실을 넘어서 있는 도덕적 당위로서의 理를 설정한 점에서 이원론이기 때문에 李珥의 철학을 二元論的主氣論이라고 하는 것은 타당한 규정이다. **(조동일, <<한국소설의 이론>> 참고)**

　　우계 성혼의 물음에 율곡 이이가 대답한 편지를 감상해 보자. 우계는 이기심성, 인심도심, 사단칠정, 性情에 대한 이해가 부족해 율곡이 따끔한 충고를 한마디 하는 것이 아닌가! "형이 학문에 뜻을 둔 지 20년이 넘었는데 아직 자기 견해가 없는가?" 아주 막힌 데를 뚫어주는 동학의 친절한 편지가 감동적이다.

　　우선 이와 기의 관계에 대한 자세한 설명을 들어보자. 이황은 이와 기가 하나가 아니고 결단코 둘이라 했고, 서경덕은 이는 기의 원리일 뿐 따로 없다고 했다. 율곡 이이는 이와 기는 하나이며 둘이고, 둘이며 하나라 하며 퇴계와 화담을 절묘하게 절충하고 있다.

율곡선생전서 제10권 / 서(書)
성호원에게 답함 임신년(1572, 선조5)

1. [성독]
數日來라。道況何如잇고?。前稟**心性情之說**이。自謂詳盡인
데。而及承<u>來示</u>하니。又多不合이라。三復以還하니。不覺
憮然이라。**吾兄志學**二十年에。非不讀聖賢之書인데。而尚
於心性情에。無的實之見者이니。恐是於理氣二字에。有所
未透故也니라。今以理氣爲說하리니。幸勿揮斥하소서。

*한자 풀이 : 及承來示: 보내온 편지 받아봄에 미쳐, 憮멍할
무, 憮:失意貌, 稟줄품, 承받들승,받들어보니승, 還돌환, 透통
할투, 不覺憮然 : 나도 모르게 멍합니다. 揮斥휘두를휘,물리
칠척,

[번역]
며칠이 지났습니다(來). 그동안 도황(道況)이 어떠하십니까?
지난번에 말한 심(心)과 성(性)과 정(情)에 관한 논설은 스
스로 상세히 말하였다고 생각하였는데(謂) 보내 준 편지를
보니, 또 부합되지 않는 의견이 많습니다. 여러 번 반복하여
다시 읽어보니 안타까운 마음 금할 길이 없습니다. **형이 학
문에 뜻을 둔 지 20년, 성현의 글을 읽지 않은 것이 아닐
텐데, 아직 心과 性과 情에 대한 확실한 견식이 없으니, 아
마(恐) 理氣 두 글자에 대해 투철하게 알지 못하기 때문인
듯합니다.** 지금 理와 氣를 말하고자 하니 물리치지 마소서.

*不覺憮然: 나도 모르게 할말을 잃습니다.
*道況: 도에 대한 인식과 실천

2. [성독]

夫理者는。氣之主宰也요。氣者는。理之所乘也라。非理則
氣無所根柢요。非氣則理無所依著이라。(理氣)旣非二物이
며。又非一物이라。非一物故一而二요。非二物故二而一也
라。非一物者는。何謂也요?。理氣雖相離**不得**이라도。而妙
合之中에。理自理氣自氣하여。不相挾雜(불상협잡)이라。故
로。非一物也요。非二物者는。何謂也요?。雖曰理自理氣自
氣라도。而渾淪無開(혼륜무간)하여。無先後無離合하여。不
見其爲二物이라。故로。非二物也라。是故로。動靜無端하
고。陰陽無始하니。理無始故로 氣亦無始也니라。

*根柢뿌리근,저, 依著의지할의, 붙을착, 渾淪: 합해빠지다, 主
宰: 운전사처럼 운전하다, <기대승: 夫理者는。氣之主宰也
요。氣者는。理之材料也라,
*動靜無端: 동과 정이 끝단이 없고。
*陰陽無始하니: 음과 양이 시작이 없으니

[번역]

이(理)는 기(氣)의 주재자(主宰者)이고 氣는 理가 타는 것이
니, 理가 아니면 氣가 근거할 데가 없고, 氣가 아니면 理가
의지할 데가 없습니다. 理와 氣는 이미 두 물건이 아니요,
또 한 물건도 아닙니다. 한 물건이 아니기 때문에 하나이면
서 둘이요, 두 물건이 아니기 때문에 둘이면서 하나입니다.
한 물건이 아니라는 것은 무슨 뜻입니까. 理와 氣가 비록 서
로 떠나지 못하더라도 묘합(妙合)한 가운데 이(理)는 따로

理이고 氣는 따로 氣여서 서로 뒤섞이지 않으므로 한 물건이 아니라고 한 것입니다. 그리고 두 물건이 아니라는 것은 무슨 뜻입니까. 비록 理는 따로 理이고 氣는 따로 氣라 하더라도 한데 붙어 간격이 없어서 선후(先後)가 없고 떨어지고 합함이 없어 두 물건이 됨을 볼 수 없기에 두 물건이 아니라고 한 것입니다. 그러므로 동(動)과 정(靜)이 끝이 없고 음(陰)과 양(陽)이 시작이 없는 것이니, 理가 처음이 없기에 氣 또한 처음이 없는 것입니다.

*相離不得: 서로 떨어지는 것이 불가능하더라도,

3. [성독]
夫理는。一而已矣라。本無偏正通塞淸濁粹駁之異하나。而所乘之氣가。升降飛揚하여。未嘗止息하며。雜糅參差(잡유참차)라。是生天地萬物에。而或正或偏하고。或通或塞하고。或淸或濁하고。或粹或駁焉이라。

*揚오를양, 糅섞을유,비빔밥유, 雜駁섞일잡,박,
*所乘之氣: 타는 곳인 기가, 태우고 있는 기가,
*升降飛揚(승강비양) : 오르고 내리고, 날고 드날려서

[번역]
이(理)는 하나일 뿐이라. 본래 치우치고 바른 것과 통하고 막힌 것과 맑고 탁한 것과 순수하고 뒤섞인 것의 구분이 없으나 理가 타고 있는 氣가 오르내리고 날고 드날려서 일찍이 쉬지 않으며 뒤섞이고 들쭉날쭉합니다. 이 때문에 天地萬

物을 낳는데, 어떤 것은 바르고 어떤 것은 치우치며, 어떤 것은 통하고 어떤 것은 막히며, 어떤 것은 맑고 어떤 것은 탁하며, 어떤 것은 순수하고 어떤 것은 뒤섞이게 되는 것입니다.

4. [성독]
理雖一이나　而旣乘於氣하여。則其分萬殊라。故로　在天地而爲天地之理이고。在萬物而爲萬物之理이고。在吾人而爲吾人之理이니。然則參差不齊者는。氣之所爲也라。雖曰氣之所爲라도。而必有理爲之主宰하니。則其所以參差不齊者는。亦是理當如此요。非理不如此而氣獨如此也。

*理爲之主宰하니: 理가 氣를 위해 맡아서 처리하니
*주재자(主宰者) : 어떤 일을 중심이 되어 맡아 처리하는 사람. 주재.

[번역]
이(理)는 비록 하나나 이미 기(氣)를 탔으므로 그 나뉨이 萬 가지로 다릅니다. 그러므로 천지에 있으면 천지의 이치가 되고, 만물에 있으면 만물의 이치가 되며, 우리 인간에 있으면 인간의 이치가 되니, 그렇다면 이렇게 들쭉날쭉하여 가지런하지 않은 것은, 氣가 그렇게 만든 것입니다. 비록 氣가 그렇게 만든 것이라 하더라도 반드시 이(理)가 주재하니, 들쭉날쭉하여 가지런하지 않은 소이(所以)는 역시 理가 마땅히 그러한 것이요, 理가 그렇지 않은데 氣만 홀로 그러한 것은 아닙니다(非). <이하생략>

50. 정유년 설파사우회 산행 환담기

설파사우회(雪坡師友會)는 학술원 회원인 조동일 교수와 그 제자·손제자들의 환담(歡談) 모임이다. 가볍게 산행도 하고, 맛있는 음식도 먹고, 온천도 하고, 넓은 방에 모여 즐겁게 이야기꽃을 피운다.

돌아가면서 전체 회원이 근황을 나누고, 끝에 조동일 선생님의 이야기, 잡담, 횡설수설, 질의응답, 강연 아닌 강연 등으로 어우러진 장광설이 마치 폭포처럼, 대하드라마처럼 이어지고, 길을 가며, 산을 오르며, 음식점 온천탕 안에서도 멈추지 않는다.

웃음이 떠날 새가 없고 신선한 발상, 번득이는 재담, 유쾌한 언변에 시간 가는 줄 모른다. 2박 3일간의 이야기를 7언 '글자놓기'로 정리해 보자. 한문 공부 삼아 하는 일이라 구겨 넣은 데가 더 많네요.

丁酉年雪坡師友會山行談話記(2017.8.11.-13)

後進續出先進喜 후진이 이어 나와 선진이 기뻐하네.
坐定鬱蒼巍巍氣 좌정이 울울창창 외외한 기운이여!
每遇歡容誰不見 만날 때마다 반가운 얼굴 누가 빠졌나?
兒戱還甲新風俗 애들도 웃으며 환갑 하는 신풍속에
師弟偕老反爲喜 사제가 함께 늙어, 도리어 즐거워라.

東鶴同學道伴喜 동학사에 모인 동학 도반으로 기꺼워라.
炎天雪坡登頂樂 염천에 눈 언덕 오르니 이 아니 즐거우랴.
鷄龍淸溪白石樂 계룡산 청계 백석 모두가 희희낙락.
不覺神仙神仙遊 자기도 모르게 신선놀음 즐기네.
隱仙瀑布巖壁松 은선폭포 암벽에 송송 박힌 소나무
涯松幽幽雲天閑 벼랑에 솔 유유하고 구름은 한가로워
師友來歷他會羨 설파회 내력을 다른 이들은 부러워해
恩師河海諸生洽 선생님 큰 강물에 제생이 무젖어
孔子不運不肖問 공자는 제자들이 못나서 불운해
多門高弟雪坡福 다양한 고제들로 설파는 행복해.
山高水長錦繡土 산 높고 물길 좋은 금수강산에
善男善女日同樂 선남선녀 날마다 함께 즐기네.
山高水短大和人 산은 높고 물길 짧은 일본인들
嚴肅殘酷無寬容 엄숙하고 잔혹해 너그럽지 못해.
山不高水長長漢 산 높잖고 물길만 길고 긴 중국은
理想賤同化鎔融 고매한 이상은 부족하나 모두 받아 녹이네.
山不高水不長佛 산 높잖고 물길 짧은 불국 사람
奇拔多彩豫測不 기발하고 다채롭고 예측 불가 창조력.
道法山水養人間 도는 산수를 본받아 인간을 기르니
白頭漢拏中鷄龍 우리는 백두와 한라 중간 계룡산에서
背山臨水萬古屛 계룡 금강 만고 병풍을 두르고
山川精氣漆膠盤 산천의 정기를 듬뿍 받아 안고 가네.
間間雨中雪坡行 간간이 빗속에도 설파 모임을 진행하는데
今日和暢精進讚 오늘은 화창한 날씨로 정진하는 우리를 하
늘이 상찬하네.
來前體驗無不說 사우회 오기 전에 체험을 잊을 수 없어,

初等教師探究力 초등교사 탐구력의
結氣如夏日抱霜 결기가 여름날에 서리를 품어
創造二百氣學人 이백 명 교사가 기철학 창조력을 발휘해
深研修圖畫童話 그림동화책으로 심화 연수 진행하는데
理想現實興含蓄 이상과 현실을 흥미롭게 풀어가네.
蟾津江詩人歌唱 섬진강 시인은 노래를 부르고
太和江教師誦詩 태화강 교사는 아이들과 한시를 읊네.
權戲李獨金勞別 권정생 잘 놀았고, 이오덕 고독했고, 김수업 일에 지쳐
兒童文學三童特 아동문학 세 분의 특별한 어린 시절.
初敎一群夏冬硏 초등교사 한 무리가 여름겨울 연찬하네.
加資吏出世苦行 아랍의 가잘리는 출세에 발목 잡혀 사막으로 고행을 떠나고
雪坡不顯享學問 동아의 설파는 현달하지 않아 학문하는 복을 한껏 누리네.
依樣之學退溪名 의양지학 퇴계는 자손들이 이름 생색
自得之學花潭命 자득지학 화담은 다음 시대, 나라의 운명일세!
中國韓語言不讀 중국인 한국어과 학생 한국말 잘하나 독서를 못해
韓國漢語不言讀 한국인 중국어과 학생 중국말 못하나 독서를 잘해
中留學生不能學 한국에 온 중국 유학생 학문을 못하고
韓留學生能學問 중국에 온 한국 유학생 학문을 참 잘해.
明淸時代司譯院 명나라 청나라 때 사역원에서
數十言語管掌學 수십 개 외국어를 관장해 학문을 했는데,
後孫無心何教材 후손들이 무심해 어떤 교재 썼는지도 모른다네.

朝鮮司譯院四語 조선 사역원에서 4개 국어를 가르쳤는데

蒙倭漢淸期內實 몽골어, 왜어, 한어, 청어 교육에 내실을 기해

大韓帝國外國語 대한제국 외국어 교육에 힘써

英佛獨中日牙實 '영,불,독,중,일,러' 말하기 교육에 힘써

敎授陣容原語民 교수진 모두가 원어민으로

卒後能通當國語 학생들 졸업하자마자 그 나라 말에 능통했는데,

大韓民國人才難 대한민국은 통역 인재 구하기 어려워

韓中修交少通譯 중국과 수교할 때 통역이 부족해

外交禁忌假相對 상대방을 빌려 쓰는 외교 금기를 서슴지 않았다네.

通語通文具色備 통어와 통문을 함께 갖추어

實務學問周能通 실무와 학문에 두루 능통해야 하리.

利扒日狹老無味 이태리 소매치기, 일본 좁은 방, 노르웨이 맛없는 음식 (利扒:이배)

觀光客散世界平 관광객을 사방으로 흘어 세계 평화에 이바지한다네.

中國富者禁沐罵 중국 부자 목욕을 하지 않아 욕을 먹지만

庶民飮用恐不足 서민들 마실 물 부족할까 그랬다네.

印度富者不食牛 인도 부자들 소고기 먹지 않기는

庶民不飮牛乳憂 서민들 우유 못 마실까봐 걱정해서라네.

不浴崇牛上下情 더럽다는 오명, 소 숭배 이면에 위아래로 흐르는 인정이 있구나.

口碑記錄相交旺 우리는 민중과 비판적 지식인의 교류가 활발했다지.

文學槪論日創案 '문학개론'이라는 물건을 일본이 만들었어.

西洋與現代文學 서양문학과 자국의 현대문학을 대강 살피지.

英美作品選集入 영미에서는 작품 선집으로 문학교육에 입문하고,

獨文學研究物入 독일에서는 연구물로 입문하고

佛始終自己主張 불국에서는 시종 자기주장을 지껄인다네.

有西洋無自國文 우리는 서양 문학 소개하고 자국 문학은 없는 문학개론을

日本大戰後廢棄 일본에서는 2차 대전 후 문학개론을 버렸는데,

韓國存續模造品 한국에서는 모조품이 아직도 존재하니,

慙愧乎植民殘滓 아, 부끄러워라 식민교육의 찌꺼기여!

善鳴節奏吾文學 율곡 선한 울림, 서포 가락으로 우리 문학을 정의했지.

世界學問知己後 자기를 알아야 세계 학문을 할 수 있어.

自由詩駭怪理論 유럽 근대시 자유시라는 해괴한 이론이

不知日人惑世說 일본학자의 혹세무민 학설인 줄도 모르고

遊京三平生京辭 서울 구경 슬쩍 하고 평생 서울내기 짓이라.

假遊客風聞醉者 가보지도 않고 떠드는 허풍쟁이 말에 말려든 녀석을 어이할꼬?

佛象徵詩完定型 프랑스 상징주의 시는 완벽한 정형시라

象徵詩音樂暗示 상징시는 음악성과 그윽함이 특징이라

不聞象徵得象徵 상징주의라는 이름도 모르고 상징주의 시 창조한 김영랑

意昏迷無意創造 혼미를 딛고 무의식에서 절창을 창조한 황석우

自由散文定型詩 자유시, 산문시, 정형시에서

發想着想詩本領 형식에 관계 없이 발상과 착상에서 시를 가려야지.

散文詩則是隨筆 산문시와 수필의 경계가 없다네.

散文詩投隨筆賞 선생님은 산문시로 투고했는데 수필로 상을 받았다네.

象徵對應越韓日 상징시에 월남, 한국, 일본, 각각 대응이

越當韓變創日詭 월남 정형시로 당당하게, 한국 변형해 창조하여 한 수 위로, 일본은 속임수로

識者無識嚴犯罪 현대문학 교수의 무식은 범죄행위라

雪坡歎息秋霜落 설파 선생 탄식에 서리가 떨어지네.

英語敎育勿是非 기존 학교 영어 교육 나무라지 마라

授業工夫廣讀書 학교에서 수업받고 공부하고 외국어 넓게 독서해

難聽言能讀能書 듣거나 말하기 어려워도 능히 읽고 잘 써서

習得高級學問語 고급 학문 언어를 익혀서

文化暢達供人類 더 수준 높은 문화를 창조해 인류 발전에 이바지해야지.

會話爲主淺薄語 회화 위주 공부는 길거리 언어로 떨어져

文化受交不適合 문화의 수용과 교류에 알맞지 않아

京畿檀國理想鄕 일류가 아닌 대학에서 인문학 이상향을 재흥해

敎育改革無名處 생극론에 따라 교육 개혁을 무명대에서 맡아서 해야 해.

人文大學學科廢 인문대학의 학과를 폐지하여

文史哲外語三種 '문사철'을 같이 하고 외국어 세 종류를 익혀서

佛獨英漢中日三 '영불독, 한중일' 가운데서 세 언어 공부해야.

知識均衡彼此貴 지식의 균형이 서로서로 귀중해

東西古今設未來 동서고금을 아울러 미래를 설계해야지.

飜譯飜案生創作 선생님은 번역 번안 축약 생짜배기 창작으로

適時提供讀書物 제 때 제 때 독서물 제공에도 한몫하고

半百選詩前後無 50년 공력으로 7개국 세계 시선집을 내고도

阿拉西班牙缺惜 아랍어와 스페인어 시가 빠져 안타깝구나!

選詩難於作詩許 허균이, 작시보다 선시가 어렵다고 했지.

先學後生不堪當 선생님 하신 일 후생이 불감당이라

料理珍饌讀美食 진수성찬 요리해서 내놓았으니 달게 맛보아요.

呼應微弱不相關 독자의 반응이 뜨겁지 않다고 걱정 안 해

眞實不消溫潤擴 진실은 사라지지 않고 따뜻하게 빛나며 몸집이 불어나

不朽金時待讀者 금쪽같은 시간은 썩지 않고 독자를 기다려요.

高等學生願讀者 고등학생이 바로 독자가 되기를 원하네.

蔚山兒童吟漢詩 울산의 초등학생이 한시를 읊으니

童稱雪坡苗板養 모판에서 아기 설파들이 자라고 있구나!

圖上練習講義前 수업 전에 머릿속에서 강의를 미리 연습하여

始終符合安心喜 시작과 끝이 부절이 합친 듯해야 마음이 편하고 즐겁다고

舜何人而予何人 안연이, 순은 누구이고 나는 누구인가?

遺傳努力半半聖 타고난 것과 노력을 반반으로 해서 높은 성취 이룬다고

不能不爲妄想打 할 수 없다, 못 하겠다는 우리의 망상을 두드려 패네.

智異山烏鴉比我 지리산 까마구야, 니 껌은 줄만 알고 내 속 탄 줄 몰라

古拙原音樵夫歌 어사용 한 소리에 조촐한 원음 퍼지네.

天下憂患入寢席 천하의 우환을 안고 잠자리에 들면

醞釀深淵如蓮根 근심 걱정이 심연에 연뿌리처럼 어우러져

曉覺頭打奧妙香 아침에 머리를 치고 피어나는 오묘한 향기.

步行中忽侵一息 걸어가면서도 문득 한 소식이 달려드니
頓悟漸修學者常 돈오점수는 학자의 일상이라
凡人莫不好言善 순자가, 누구나 선한 말씀 하기를 좋아해
吾師尤好而達辯 우리 선생님 더 좋아하고 언변이 탁월하지
括囊無諮腐儒譽 자루를 틀어막듯 입을 닫으면 어찌 학자라 하리오.
長廣舌峻嶺大河 준령 대하 같은 선생님 장광설을
七言好措難禦流 칠언으로 놓기는 좋으나 도도한 흐름을 감당하기 벅차구나.
恩師不戾同學共 이 글을 선생님 좋아하고 동학들 공감했으면
充實記言闕談補 혹 빠진 말씀 누가 채워서 꽉 찬 기언이 되기를
山行不必靑藜杖 선생님은 규칙적인 산행으로 건강을 유지하니
雪坡門徒恒登坡 우리도 항상 설파 고개 올라야 하리라.<끝>

*과감한문공부 시리즈는 계속됩니다.